Monika Werner

LES HUILES ESSENTIELLES

- Utiliser l'aromathérapie avec succès
- Prendre soin de sa peau et de ses cheveux
- Soigner les maux de tous les jours de façon 100 % naturelle

VIGOT

Sommaire

Remerciements

J'adresse tous mes remerciements à celles et ceux, amis et collègues, qui tentent depuis des années de promouvoir l'aromathérapie à mes côtés et remercie tout particulièrement Felicitas pour sa précieuse collaboration.

Avertissement

Cet ouvrage traite du rôle des huiles essentielles comme remèdes contre les maux courants, produits de beauté et facteurs de bien-être. C'est à chaque lecteur ou lectrice qu'il revient de juger, en fonction de son propre cas, dans quelle mesure il y a lieu de les utiliser et jusqu'à quel point elles peuvent être efficaces.
Lisez attentivement les recommandations de la page 27 ainsi que l'encadré de la page 51 intitulé Les limites de l'automédication. N'oubliez jamais que les huiles essentielles sont des substances éminemment actives qui, employées à mauvais escient ou incorrectement dosées, peuvent avoir des effets secondaires. Aussi est-il préférable de toujours suivre scrupuleusement les indications et de respecter les doses prescrites. Si vous suivez un traitement médical, informez votre médecin ou votre thérapeute de votre intention de recourir aux huiles essentielles.

Avant-propos

Un parfum agréable produit le même effet qu'un beau morceau de musique ou une caresse empreinte d'amour : il réjouit le cœur et les sens. Il n'y a donc rien d'étonnant à ce que les huiles essentielles connaissent depuis quelques années un vif succès, surtout si l'on songe que, au-delà du simple plaisir olfactif, elles exercent une action bienfaisante aussi bien sur le corps que sur l'esprit.
Un parfum d'ambiance stimulant pour le bureau, un bain relaxant délicieusement parfumé, une huile de massage légèrement aphrodisiaque, une huile thérapeutique contre le rhume, un traitement efficace contre la cellulite, une crème pour le visage qui sent bon ou un parfum personnalisé - ce sont là autant d'applications courantes des huiles essentielles. Elles peuvent servir à créer une atmosphère propice au bien-être, à la concentration intellectuelle ou à la créativité, mais sont aussi souvent utilisées pour les soins corporels et comme remède à de nombreux maux de tous les jours.
Ce livre a pour objet de vous aider à utiliser de manière simple et rapide le pouvoir des huiles essentielles. Vous y apprendrez comment créer vos propres mélanges en fonction de vos goûts et de vos besoins, car, leurs propriétés se complétant et se renforçant, c'est souvent en association que les huiles essentielles sont le plus efficaces et qu'elles offrent les parfums les plus intéressants. L'art des combinaisons exige un peu d'expérience et de savoir-faire. Pour vous permettre d'obtenir dès le départ des parfums exquis au spectre large, j'ai réuni ici mes meilleures recettes, fruit de plusieurs années de pratique. Avec elles, vous découvrirez une sélection d'huiles particulièrement polyvalentes permettant de se soigner soi-même en toute sécurité. Vous trouverez aussi des informations importantes sur l'origine, la qualité et la conservation des huiles ainsi que des conseils utiles et des indications précises quant au mode d'utilisation.
J'espère que la découverte, l'expérimentation et l'utilisation de ces huiles essentielles au parfum envoûtant vous procureront beaucoup de plaisir et que leurs exceptionnelles vertus vous permettront de vivre des moments de bonheur partagé.

Parfums bienfaisants

La senteur envoûtante du mimosa, l'odeur épicée des conifères, l'arôme rafraîchissant du citron : pas un parfum qui ne suscite en nous des sentiments, n'éveille quelque souvenir ou n'influe d'une manière ou d'une autre sur notre bien-être.
Grâce aux huiles essentielles, nous disposons de ces parfums sous forme concentrée et pouvons jouir à tout moment de leurs bienfaits, car « l'esprit » des plantes, contenu dans les petites fioles marron, relève l'humeur, détend, stimule et soigne.

Mimosa

Sensuelles et thérapeutiques

Peu de choses font à mon avis autant de bien que d'inhaler profondément le parfum d'une rose, puis de sentir monter irrésistiblement en soi un sourire de béatitude.

C'est dans le sud, où le soleil et la chaleur amplifient le parfum de la végétation, que j'ai toujours éprouvé les sensations olfactives les plus fortes. Avez-vous déjà humé l'odeur balsamique d'un buisson de mimosa en fleurs ? Connaissez-vous le plaisir de flâner dans un village méditerranéen, de s'imprégner de cette atmosphère chaleureuse et détendue et de se laisser soudain surprendre par le parfum envoûtant du jasmin ?

Des parfums magiques

Lorsque j'ai découvert, il y a plusieurs années déjà, l'existence des huiles essentielles, l'idée de pouvoir m'entourer à tout moment de parfums exquis m'a tout simplement enthousiasmée. Que je les utilise comme parfums d'ambiance, mélangées à une huile corporelle, dans le bain ou comme simple parfum, j'apprécie toujours la sensualité qui s'en dégage ainsi que tout ce que leur découverte renferme à chaque fois d'imprévu et d'exotique : des parfums fleuris et envoûtants comme le jasmin ou l'ylang-ylang, balsamiques et voluptueux comme le santal ou le benjoin, fruités et acidulés comme la limette ou le petitgrain, épicés et boisés comme le cèdre ou le vétiver. Tout l'intérêt des huiles essentielles ne réside toutefois pas dans leur seul parfum, mais aussi dans leur extraordinaire pouvoir thérapeutique.

Action globale

Pour le corps et l'esprit

Quelques gouttes de véritable huile essentielle dans un brûle-parfum, et une odeur fabuleuse se répand immédiatement dans toute la pièce, détend l'atmosphère, anime l'esprit et dégage de surcroît les voies respiratoires ! C'est cela qui me fascine le plus avec les huiles essentielles : comment quelque chose qui sent si bon peut-il constituer en même temps un remède si efficace, et cela aussi bien pour le corps que pour l'esprit ?

Se sentir bien

Se sentir bien, être de bonne humeur, ni tendu ni mou : voilà qui semble relever pour beaucoup de gens de la théorie pure. Savoir se faire plaisir, vivre tranquillement, aimer et être aimé, y a-t-il meilleure médecine préventive ? On sait en effet depuis longtemps que le bien-être psychique renforce le système immunitaire, mais les vicissitudes de la vie quotidienne ne nous permettent pas souvent de prendre vraiment le temps de souffler. Pour lutter contre le surmenage physique et psychologique, nous prenons des cachets censés taire nos défaillances et nous aider à garder le pied à l'étrier. Or, procéder de la sorte c'est tout simplement ignorer le rapport étroit qu'entretiennent le corps et le psychisme.

Se sentir bien est la meilleure prophylaxie qui soit

Exemple classique : il arrive que l'humeur maussade, peut-être provoquée par un problème au travail, donne lieu à des troubles gastriques ou à des maux de tête. Inversement, les douleurs mettent rarement de bonne humeur et peuvent avoir un retentissement sur la capacité de concentration et la créativité… Il s'agit donc là d'un cercle vicieux contre lequel tranquillisants et antalgiques n'offrent pas de solution satisfaisante.

Prendre les symptômes physiques au sérieux

Aussi longtemps que nous refuserons de prendre en considération nos problèmes psychiques, notre corps se chargera de nous rappeler régulièrement que quelque chose ne va pas.

Par leur action à la fois stimulante et apaisante sur l'esprit, les huiles essentielles permettent de prévenir bon nombre de maux. Il n'est pas plus compliqué d'en verser quelques gouttes dans la coupelle d'un brûle-parfum que d'avaler un cachet, d'allumer la télé ou d'ouvrir une bouteille d'alcool, mais les bénéfices sont incomparablement supérieurs.

Respirer la santé

Le terme d'aromachologie désigne l'utilisation courante des huiles essentielles en vue d'un accroissement du bien-être, tandis que celui d'aromathérapie est employé dans le cas d'un traitement spécifique visant à soigner un trouble physiologique ou psychique donné. L'aromathérapie est une branche de la naturopathie, doctrine médicale qui considère depuis toujours l'être humain comme un tout composé d'un corps, d'un esprit et d'une âme. Contrairement à la médecine classique, la naturopathie ne se contente pas de traiter les symptômes, mais envisage l'individu dans sa globalité.

Traitement global

Avec les huiles essentielles, il est très facile de se sentir bien dans sa peau

En raison de la polyvalence de leurs substances actives, les huiles essentielles sont tout indiquées pour servir en naturopathie : elles influent positivement sur le bien-être psychique, renforcent les défenses naturelles de l'organisme et soignent quantité de maux.

Un remède pour le corps et l'esprit

L'huile essentielle de lavande, par exemple, produit sur l'esprit un effet équilibrant, apaisant et régénérateur, mais elle possède aussi des propriétés germicides, vulnéraires et analgésiques. Elle peut donc s'avérer très utile en cas de blessure, car elle désinfecte la plaie, favorise le processus de guérison et soulage en plus l'angoisse et l'agitation. Y a-t-il un seul médicament qui puisse en faire autant ?

À cela s'ajoute que les huiles essentielles, bien dosées et employées à bon escient, n'ont pas d'effets secondaires. Elles sont donc parfaitement adaptées au traitement des maux de tous les jours ne nécessitant pas de prise en charge médicale.

Soigner son apparence

Soins cutanés globaux

Dernier avantage, mais non des moindres, beaucoup d'huiles essentielles conviennent parfaitement aux soins cutanés et capillaires.

Ajoutées aux crèmes, aux huiles corporelles et aux shampooings, elles produisent divers résultats en fonction de l'effet recherché. Outre l'entretien spécifique de la peau et des cheveux, elles agissent aussi de manière générale sur le corps et l'esprit. S'appliquer par exemple chaque matin une crème à la rose sur le visage, c'est aussi se mettre du baume au cœur pour le restant de la journée.

Des huiles pas comme les autres

Les huiles essentielles sont le parfum des plantes. Lorsque nous humons une rose, que nous épluchons une orange ou que nous fripons une feuille de romarin entre nos doigts, c'est l'huile essentielle en train de se volatiliser qui nous fait éprouver cette sensation olfactive si agréable. La fonction des huiles essentielles n'est toutefois pas tant de nous plaire que de servir la plante. Leur odeur attire les insectes pollinisateurs, éloigne les nuisibles et protège contre certaines maladies bactériennes ou cryptogamiques. Séduction, protection et autoguérison : tout ce qui, en dehors des nutriments et de la lumière, sert aux végétaux à survivre et à se perpétuer se trouve dans les huiles essentielles. Or, pareilles vertus peuvent également bénéficier à l'être humain.

Séduction, protection et autoguérison

Origine, extraction et propriétés

Des parfums du monde entier

● Les huiles essentielles sont souvent issues de plantes originaires de régions chaudes et ensoleillées, car ces deux éléments sont indispensables à leur élaboration. Elles sont produites par les glandes oléifères et stockées dans les tissus végétaux : dans les fleurs et les feuilles, les graines, la peau des fruits, les racines, la résine, l'écorce ou le bois. Certaines plantes embaument à la moindre élévation de température, tandis que d'autres, pour nous livrer leur parfum, doivent être palpées, frottées, pressées ou bien même moulues.

Lorsque les huiles essentielles sont obtenues à partir de plantes issues de la culture conventionnelle, elles peuvent contenir des résidus de pesticides susceptibles de provoquer des réactions allergiques. Aussi, pour l'usage interne aussi bien que pour l'usage externe, est-il préférable d'utiliser des huiles issues de « l'agriculture biologique contrôlée », c'est-à-dire obtenues à partir de plantes cultivées sans engrais chimiques ni pesticides. Cela n'est évidemment pas possible avec les huiles de plantes sauvages, mais elles passent généralement pour être de très bonne qualité.

Des huiles exemptes de résidus

La fabrication des huiles essentielles n'a rien de mystérieux - ici un alambic en Turquie.

Procédés d'extraction

● La façon dont une huile essentielle est obtenue dépend de l'organe sécréteur de la plante : le procédé le plus courant est la *distillation à la vapeur d'eau*. Les organes sécréteurs sont placés dans la cucurbite de l'alambic (voir photo ci-dessus) et sont traversés par une circulation de vapeur qui entraîne les molécules aromatiques. Eau et huile passent ensuite dans une chambre de refroidissement où elles se séparent. Il suffit alors de recueillir l'huile déposée à la surface. Appelée hydrolat (voir page 39), l'eau résiduelle possède les mêmes propriétés que l'huile essentielle.
L'*extraction par solvant* est utilisée pour les fleurs fragiles qui sont plongées dans une préparation chimique provoquant la dissolution des substances aromatiques, des pigments et des cires. Après séparation du solvant par distillation, on obtient un produit cireux qui doit encore être dissous avec de l'alcool, ce dernier étant ensuite éliminé par évaporation. L'huile essentielle ainsi obtenue est dite « absolue ».
La *pression à froid* est utilisée pour les agrumes. En pressant les zestes, on obtient une émulsion d'eau et d'huile essentielle qui doit ensuite être centrifugée et filtrée. Les huiles essentielles d'agrumes sont souvent appelées « essences ».

Propriétés

● Les huiles essentielles se distinguent nettement des huiles végétales (comme celles que l'on utilise pour les assaisonnements), car ce sont des substances complètement volatiles. Si l'on en verse une goutte sur un bout de papier, apparaît une tache d'humidité qui s'estompe petit à petit, alors qu'une huile végétale aurait laissé une tache de graisse. Il peut toutefois rester une tache de couleur, car la plupart des huiles essentielles contiennent des pigments jaunes, orange ou marron. Leur consistance peut aller de très liquide (par exemple la lavande) à sirupeuse (par exemple le benjoin).

Couleur, consistance, odeur

Les huiles essentielles ne sont pas solubles dans l'eau, mais elles se mélangent très bien aux huiles végétales, à la crème, au lait entier, au miel et à l'alcool. Elles possèdent un parfum et un goût très prononcés. Il n'y a rien d'étonnant à cela si l'on songe que l'obtention d'une goutte d'huile essentielle de rose, par exemple, requiert trente fleurs ! Certaines, comme l'huile essentielle de ciste, sont si intenses qu'elles doivent être diluées pour sentir bon.

■ Les huiles essentielles sont à la fois des parfums et des remèdes naturels. Elles doivent être utilisées à très faibles doses, car leurs principes actifs sont hyperconcentrés.

Rôle de la composition

Chaque huile essentielle se compose de plusieurs éléments biochimiques, parfois très nombreux, qui tous ensemble déterminent ses propriétés thérapeutiques. Beaucoup de ces constituants ont été étudiés et leur efficacité prouvée scientifiquement. Il s'agit de liaisons d'hydrocarbures classées selon leurs caractéristiques en différentes classes, comme les monoterpénols, les sesquiterpénols, les monoterpènes, les sesquiterpènes, les esters, les aldéhydes, les oxydes, les phénols, les coumarines, les cétones ou d'autres encore qui n'apparaissent que sous forme de traces.

Classes chimiques

Complexité biochimique et largeur du spectre

Beaucoup d'huiles recèlent un constituant chimique majoritaire (chémotype) dont l'action est influencée et complétée par des molécules secondaires. Cette synergie explique la polyvalence des huiles essentielles et la largeur de leur spectre. L'*huile de lavande*, par exemple, est très efficace en cas de brûlure, de blessure ou de commotion, mais elle agit aussi contre les symptômes de refroidissement, les maux de tête, les troubles gastro-intestinaux, l'humeur maussade et les problèmes cutanés. Pour comprendre une telle polyvalence, il suffit de considérer l'analyse biochimique de *Lavendula officinalis* :

Un exemple : l'huile de lavande

- 40 à 50 % d'esters (surtout de l'acétate de linalyle), qui ont une action apaisante, relaxante, anxiolytique, fortifiante et anti-inflammatoire et sont très bien tolérés par la peau.
- 25 à 30 % de monoterpénols (principalement du linalool), qui sont également très bien tolérés par la peau et possèdent en outre des propriétés bactéricides, antifongiques et antivirales, stimulent le système immunitaire et le psychisme.
- 7 à 13 % de monoterpènes, qui stimulent la circulation sanguine et ont un effet anti-inflammatoire, antiseptique, analgésique et fortifiant.
- 5 % de sesquiterpènes, 3 % de cétones, 1 % d'oxydes et 1 % de coumarines, qui, par leurs propriétés régénérantes, fluidifiantes, expectorantes, légèrement euphorisantes ou apaisantes, renforcent et complètent l'effet des constituants majoritaires.

L'effet équilibrant

La synergie des différents constituants détermine la principale caractéristique des huiles essentielles : leur effet équilibrant. C'est ainsi que l'on peut dire de manière apparemment paradoxale que l'huile de lavande, ainsi que certaines autres, produit un effet à la fois relaxant et stimulant. C'est tout simplement que ces huiles opèrent, au plan physiologique comme au plan psychique, une réduction de ce qui est en trop et une augmentation de ce qui fait défaut.

Le dosage détermine la toxicité

Constituants controversés

Certains constituants, comme les cétones ou les phénols, n'ont pas bonne presse, car on met souvent en garde contre d'éventuels effets secondaires. Pourtant, les huiles essentielles qui en contiennent beaucoup possèdent des propriétés thérapeutiques hors pair. Tout est en fait question de posologie et ici la parcimonie est de mise.
L'huile de menthe, qui présente une forte proportion de cétones (25-30 %), et l'huile de thym thymolifère, dont la teneur en phénols peut atteindre 55 %, doivent être faiblement dosées et ne pas être utilisées sur une longue période.

Proportions variables

Espèce botanique

La composition chimique des huiles obtenues à partir d'une même espèce botanique peut varier légèrement en fonction de son origine, des méthodes culturales utilisées, du climat, de l'époque de la récolte et du procédé d'extraction, mais ces variations n'ont pas d'influence notoire sur les effets thérapeutiques. Deux espèces d'un même genre, comme la lavande officinale et la lavande aspic, peuvent en revanche présenter une différence assez grande dans la proportion de leurs constituants et posséder de ce fait des propriétés divergentes, d'où l'importance du nom latin.
On constate aussi chez certaines espèces des variations importantes en fonction du sol et de l'exposition. Pour chaque variante, le chémotype (CT), c'est-à-dire le constituant majoritaire, doit alors être spécifié, par exemple : *Thymus vulgaris CT Thymol* ou *thym thymolifère.*

Le chémotype

Huiles synthétiques - une pâle imitation

100 % synthétique

Pour la parfumerie, la cosmétique et l'industrie alimentaire, il revient souvent moins cher de créer des huiles essentielles de toute pièce, car certaines plantes ne livrent leur parfum que très difficilement : des senteurs telles que *fleur de pommier, pomme verte, lilas, freesia, chèvrefeuille, lis, lotus, muguet, fleur d'amandier, pêche* ou *violette* sont toujours synthétiques.
Comme dans ces domaines, seul le parfum importe, les huiles synthétiques ne contiennent que des substances odorantes. La reproduction à l'identique des huiles naturelles coûterait d'ailleurs beaucoup trop cher et serait souvent impossible étant donné que tous les constituants n'ont pas encore été identifiés. Aussi, aucune huile essentielle de synthèse ne peut prétendre avoir la même efficacité qu'une huile essentielle véritable. Comme certains constituants peuvent être toxiques lorsqu'ils sont pris isolément et n'avoir de vertu curative qu'en association avec les autres constituants de l'huile, une imitation incomplète risque même de s'avérer dangereuse. En outre, les processus chimiques de fabrication provoquent la formation de nouveaux constituants qui, pour des raisons de coût, ne sont pas retirés et dont les éventuels effets secondaires ne sont pas encore bien connus. Notre organisme est constitué de manière à pouvoir absorber et éliminer les substances végétales naturelles, tandis que les substances synthétiques ont tendance à s'accumuler dans nos cellules, et personne ne

Inapproprié à l'aromathérapie !

sait vraiment quel est leur effet à long terme sur notre santé.

Trois modes opératoires

Par le nez

Les huiles essentielles agissent de trois façons :

● L'information olfactive parvient jusqu'au cerveau par l'intermédiaire du nez (page 18) et du système nerveux; elle s'y transforme en sensation et, par le biais du système neurovégétatif, influe sur de nombreux organes, la production hormonale et le système immunitaire.

En usage externe

● Les substances actives des huiles essentielles pénètrent dans les tissus et la circulation sanguine en traversant la peau et les muqueuses. De cette manière, elles peuvent là aussi influer sur tout l'organisme. L'inhalation fonctionne sur le même principe et met en jeu aussi bien les muqueuses que les poumons. En raison de leur rapidité à pénétrer la peau, les huiles essentielles sont particulièrement adaptées aux soins cutanés.

Les constituants chimiques prodiguent leurs bienfaits au travers du nez et de la peau

En usage interne

● En usage interne, seule une petite partie des substances actives atteint l'estomac et l'intestin. Le reste pénètre dans le sang par le biais des muqueuses.

Attention : La prise d'huiles essentielles en usage interne à des fins thérapeutiques doit faire l'objet d'une prescription médicale.

Aussi pour parfumer les plats

L'utilisation d'huiles essentielles pour parfumer les plats tombe naturellement dans la catégorie usage interne, mais ne présente aucun danger pour le profane en raison de la forte dilution. Les huiles essentielles permettent d'ailleurs d'obtenir d'excellents résultats en cuisine.

La perception olfactive

Impressions olfactives

Qui ne s'est pas un jour trouvé assailli par des souvenirs d'enfance en passant devant une boulangerie ? Même très légère, l'odeur du pain au chocolat nous ramène immanquablement à nos goûters d'antan, lorsque nous rentrions de l'école.

Une lotion pour le corps au parfum particulièrement exquis nous donne un sentiment de bien-être et de volupté, tandis qu'un plat qui sent bon nous fait monter l'eau à la bouche ou, tout du moins, nous met en appétit...

Au sujet de l'odorat

Il nous reste encore beaucoup de choses à découvrir sur la façon dont fonctionne l'odorat et pourquoi les odeurs déclenchent en nous des réactions émotionnelles et physiologiques. Dans ce domaine, la plupart des explications ont une valeur plutôt hypothétique. On peut se représenter le processus olfactif à peu près de la manière suivante : lorsque nous allumons un brûle-parfum, l'huile essentielle s'évapore avec l'eau et les molécules dont elle se compose parviennent par la voie des airs jusqu'à nos narines. Celles-ci sont garnies en dedans de multiples récepteurs adaptés aux diverses molécules. Lorsque l'une d'elles entre en contact avec « son » récepteur, une réaction chimique se produit, dont le résultat est transmis sous forme de stimuli électriques au cerveau, où l'information est traitée (page 18).

Du nez au cerveau

Aussi certaines odeurs peuvent-elles se situer à la limite du perceptible et agir à notre insu.

Méprisé mais incontournable

Notre sens le plus primitif

L'odorat est le plus primitif de nos sens. Le fait qu'il fut le premier à apparaître dans l'histoire de l'évolution se remarque encore de nos jours chez le nourrisson, qui perçoit parfaitement les odeurs lorsque toutes les

L'attirance physique – question d'odorat

autres sensations sont encore floues. À l'inverse des autres mammifères, l'homme a cependant tendance à beaucoup négliger l'odorat et à ne se fier qu'à ce qu'il voit. Le fait que nous n'ayons pas de nom pour les distinguer les unes des autres, alors que nous en avons pour les couleurs et pour les sons, montre assez le mépris dans lequel nous tenons les odeurs. Pour elles nous disposons tout juste de quelques adjectifs : boisée, fraîche, sucrée, etc., et de comparaison : odeur de rose, de jasmin, etc.

Action sur le corps et l'esprit par le biais du cerveau

L'odorat est directement lié à l'inconscient et à l'instinct. Tout ce qui effleure nos narines devient automatiquement information et atteint en une fraction de seconde le rhinencéphale, ou système limbique, partie la plus ancienne notre cerveau. Du point de vue de l'évolution, celle qui commande probablement notre inconscient ainsi que nos émotions, joue un rôle dans la mémoire et influe sur la synergie de toutes les fonctions corporelles. Différentes réactions se sont déjà produites, lorsque l'information parvient enfin aux hémisphères cérébraux, partie la plus jeune de notre cerveau, où les odeurs sont décryptées et évaluées.

Avant que nous ayons eu le temps de nous exclamer : « Ça sent la rose, quel parfum exquis ! », l'odeur en question a déjà provoqué différentes réactions inconscientes : un sentiment de plaisir sourdre en nous, nos nerfs se relâchent, notre système immunitaire s'éveille et notre production hormonale augmente.

Le mécanisme est le même en présence de mauvaises odeurs, mais nous réagissons par le dégoût, la nausée, l'instinct de fuite ou l'agressivité.

L'amour passe par le nez

Odeur et affinité

Le nez joue un rôle plus important qu'on ne le croit dans les relations intersubjectives. Ce n'est pas par hasard si l'on dit de deux personnes qui se détestent qu'elles ne « peuvent pas se sentir », car chaque individu possède une odeur corporelle qui lui est propre et à laquelle nous sommes très sensibles, même si la plupart du temps nous n'en avons absolument pas conscience. Nous touchons là à quelque chose de très ancien, à un instinct hérité de nos ancêtres préhominiens, à une époque où l'on se reniflait pour faire connaissance. L'odeur corporelle joue un rôle particulièrement important dans les relations sexuelles. La libido a beaucoup à voir avec l'olfaction, c'est pourquoi certaines huiles ont le pouvoir de provoquer le désir.

Goûter et sentir

Fin gourmet

Lorsque l'on dit d'un mets qu'il est délicieux, on veut le plus souvent parler de son odeur plutôt que de son goût. Le palais ne perçoit en effet que le sel, le sucre, l'acidité et l'amertume. Tout le reste est affaire de perception olfactive ! C'est pourquoi, lorsque nous sommes très enrhumés, il peut nous arriver de ne plus rien « sentir » de ce que nous mangeons.

■ À force d'utiliser des huiles essentielles, vous constaterez une amélioration sensible de votre odorat. Vous parviendrez bientôt à distinguer de nombreux parfums et à dire de quels éléments se compose tel ou tel complexe. Cet affinement de la perception olfactive vous permettra d'accéder à un degré supérieur de sensibilité et de volupté.

Des remèdes qui sentent bon ?

Utiliser des huiles essentielles à des fins thérapeutiques, c'est influer sur le corps mais aussi sur l'esprit : le parfum jouant ici un rôle primordial. En fin de compte, le pouvoir psychique des huiles passe principalement par l'odorat. Mais a-t-on jamais vu un médicament qui sente bon ?

Tout remède n'est pas forcément amer

Contrairement à une croyance très répandue, selon laquelle plus un remède est amer plus il est efficace, ce sont bien souvent les parfums lourds et suaves qui agissent le mieux. Or beaucoup de gens ont du mal à s'en convaincre et répugnent donc à se soigner avec les huiles essentielles, pensant qu'il ne peut s'agir que d'un agrément. Il suffit cependant de les essayer pour se rendre compte de leur efficacité.

Ce qui plaît à l'un, peut déplaire à l'autre

Différences de goût

L'appréciation des odeurs varie beaucoup d'une personne à l'autre, car elles sont très liées à aux souvenirs et aux émotions passées. L'un aimera le parfum du jasmin, tandis que l'autre le trouvera écœurant. En sentant de la lavande, l'un se remémorera sa grand-mère bien-aimée, tandis que l'autre se souviendra plutôt d'une tante acariâtre... L'arrière-plan culturel joue également un rôle important dans le jugement que l'on porte sur les odeurs : les parfums d'Orient nous paraissent exotiques, voire entêtants, et éveillent en nous de tout autres associations que pour un Oriental. Aussi les goûts et les odeurs ne se discutent-ils pas. Si vous souhaitez soigner quelqu'un au moyen de l'aromathérapie ou lui faire cadeau d'une huile essentielle, faites-lui toujours sentir avant. Utilisez uniquement un parfum qui lui plaît, même si vous-même en auriez choisi un autre. Les différences de goût peuvent poser problème en ce qui concerne l'utilisation d'un brûle-parfum au bureau ou dans une chambre d'hôpital. Le mieux est de se mettre tous d'accord au préalable. Cela dit, la plupart des gens apprécient l'odeur des agrumes et des conifères. Soyez toujours prudent en ce qui concerne le dosage (page 30) !

Redécouverte d'une tradition millénaire

Alors que l'odorat perdait progressivement de son importance du point de vue de la survie, les parfums continuèrent durant des millénaires à faire partie intégrante de nos cultures, au même titre que la musique, la danse ou la peinture. En Chine, en Inde, au Japon, en Égypte, en Grèce et à Rome, herbes et essences aromatiques servaient à des fins religieuses, thérapeutiques, cosmétiques ou simplement d'agrément. Dans l'Occident médiéval, la fabrication et l'utilisation des huiles essentielles faisaient encore l'objet d'une connaissance très poussée, mais la persécution des guérisseurs et la multiplication des procès en sorcellerie par l'Église mirent un terme à tout cela. Ce n'est qu'au XVIIe siècle que les parfumeurs redécouvrirent les huiles essentielles et il fallut attendre le XXe siècle pour que nous nous intéressions de nouveau à leurs vertus thérapeutiques. Les scientifiques, pour leur part, n'étudient sérieusement leur action que depuis quelques années.

Parfums – élément à part entière de nos cultures depuis des millénaires

Les parfums vont donc peut-être enfin retrouver la place qu'ils méritent aux côtés de la musique, de la danse, des arts plastiques et de tout ce qui rend la vie plus agréable.

Manipulation par les parfums

Depuis quelque temps, les industriels considèrent eux aussi avec intérêt les possibilités nouvelles qu'offrent les parfums. Ceux-ci sont déjà utilisés à des fins de manipulation, pratique qui risque de se généraliser dans les années à venir. Comment résister en effet à la tentation de stimuler son personnel par un moyen aussi simple ou d'inciter ses clients à l'achat de manière subliminale ? Au Japon, des essences d'agrumes sont fréquemment diffusées dans les bureaux par le système d'aération afin d'augmenter les performances des employés. De nombreux yaourts « aux fruits » sont en fait parfumés artificiellement et les voitures d'occasion sont rendues plus attrayantes par l'utilisation de sprays « voiture neuve ».

Affaire juteuse pour les industriels

Bientôt les chimistes seront à même d'agrémenter certains produits de phéromones artificielles, leur conférant ainsi un pouvoir d'attraction quasi irrésistible sur le consommateur ! Ces substances ne franchissant pas le seuil de la conscience, nous n'aurons aucun moyen de nous défendre contre elles, et la manipulation pourra être totale et illimitée…

Dangers du « boom des parfums »

Autre application possible des parfums : masquer les mauvaises odeurs, notamment dans les toilettes ou dans les espaces enfumés. Le risque est toutefois d'empêcher aussi la perception d'odeurs signalant un danger, tel que gaz ou brûlé. Aussi le « boom des parfums » ne doit-il pas nous faire perdre tout esprit critique, cela d'autant plus que, pour des raisons de coût, la plupart sont synthétiques (page 15) !

Conseils pour la pratique

Pour se soigner efficacement par l'aromathérapie, il faut savoir un certain nombre de choses au sujet des huiles essentielles et de leur utilisation. Aussi trouverez-vous dans ce chapitre des informations pratiques concernant l'achat, la conservation et la réalisation de mélanges, ainsi que l'utilisation d'un brûle-parfum, d'huiles corporelles et d'autres applications. Une description concise de chaque huile mentionnée ainsi que des supports huileux et des hydrolats vous permettra d'en connaître toutes les caractéristiques et propriétés.

Achat et conservation

Importance de la qualité

Les huiles essentielles se vendent aujourd'hui un peu partout : en pharmacie, en parfumerie, dans les magasins bio, mais aussi dans les boutiques de cadeaux et sur les foires. Les fabricants sont nombreux et des différences de prix considérables sont souvent constatées pour des huiles équivalentes. Les informations portées sur l'étiquette sont plus ou moins précises et le parfum lui-même varie souvent d'une marque à l'autre. Alors comment savoir si l'on a affaire à une bonne ou à une mauvaise huile ?

Il existe de grandes différences

■ Pour une utilisation thérapeutique et en application locale sur la peau ou les muqueuses, mieux vaut choisir des huiles essentielles d'une qualité irréprochable, car c'est à cette seule condition que l'on peut véritablement juger de leur efficacité et de notre tolérance vis-à-vis d'elles.

Le prix

Le prix des véritables huiles essentielles est élevé car leur fabrication coûte cher. Il existe des huiles bon marché, mais il faut s'attendre à ce qu'elles contiennent des résidus (page 11) et l'on peut supposer qu'elles ont été coupées avec d'autres huiles, naturelles ou synthétiques, à moins qu'elles ne soient complètement synthétiques dès le départ. Pareilles substances ne peuvent pas apporter les résultats escomptés et ne sont pas exemptes d'effets secondaires (page 15).

Gages de qualité : prix, parfum et informations détaillées

Le parfum

Avec beaucoup d'expérience, il arrive que l'on puisse juger de la qualité d'une huile essentielle à sa simple odeur. Mais, si un parfum vous semble inhabituel, cela ne veut pas forcément dire que l'huile est de mauvaise qualité. Peut-être est-ce une question de période de récolte ou bien l'huile est-elle encore trop « jeune ». Peut-être êtes-vous vous-même légèrement indisposé. En définitive, seule une analyse chimique peut déterminer si le produit a été trafiqué.

L'information

Achetez vos huiles essentielles dans un magasin spécialisé auprès

Information en amont

d'un vendeur-conseil, c'est-à-dire dans un magasin bio ou en pharmacie. Le moyen le plus sûr de vous assurer de leur qualité est de vous fier à l'étiquette : plus les informations fournies par le producteur sont précises et détaillées, plus il y a de chance que la qualité soit bonne.

Qualité des supports huileux et des hydrolats

Support huileux

Les lotions pour le corps et les huiles de massage nécessitent l'utilisation d'un support gras tel que de l'huile de jojoba ou d'amande douce (voir à ce sujet page 37). Là aussi, la qualité importe beaucoup afin d'éviter des réactions allergiques de la peau.

- Veillez à ce qu'il s'agisse d'une huile 100 % végétale sans aucun additif.
- Préférez les huiles pressées à froid et les macérats issus de l'agriculture biologique contrôlée.
- Comme les huiles végétales ne se gardent pas éternellement, faites attention à la date de péremption.

Hydrolats

Le choix des hydrolats (page 39) obéit aux mêmes critères que ceux des huiles essentielles (voir encadré). Ils ne doivent contenir ni agents de conservation ni alcool et leur date de péremption doit être clairement indiquée.

Mentions importantes

Les informations suivantes doivent figurer sur le flacon et sur l'emballage :

- huile végétale 100 % naturelle.
- Nom commun et nom latin afin d'éviter toute confusion avec une autre espèce botanique (page 15).
- Organes sécréteurs lorsqu'il existe des variantes, car l'effet n'est pas tout à fait le même (feuilles, sommités fleuries, écorce).
- Contenance en ml ou en g.
- Pays producteur, car les huiles peuvent varier en fonction de leur origine.
- Informations au sujet du mode cultural utilisé, par exemple : agriculture biologique contrôlée, agriculture conventionnelle ou plante sauvage issue de la cueillette. Pour l'usage interne ou l'application directe sur la peau, l'huile doit être exempte de résidus chimiques, donc issue de l'agriculture biologique, afin d'éviter les réactions allergiques.
- Procédé d'extraction : en cas d'extraction aux moyens de solvant, le nom de celui-ci doit être mentionné et il doit être précisé que le produit est exempt de résidus.
- Liste complète des additifs et pourcentage pour les huiles visqueuses, qui sont souvent diluées avec de l'huile de jojoba ou de l'esprit-de-vin pour les rendre plus faciles à l'emploi.
- Support huileux éventuel en pourcentage : les huiles très onéreuses sont souvent proposées diluées.
- Numéro d'identification de produit, en cas de réclamation.

Stockage

Durée de conservation

● La plupart des huiles essentielles peuvent être stockées pendant plusieurs années. Certaines achèvent même leur maturation au cours du temps, comme les bons vins. Celles dont la durée de conservation est limitée sont les essences d'agrumes, les supports gras et les hydrolats. Il faut les jeter au bout d'un ou deux ans. Pour cela ne vous fiez pas à leur parfum qui peut rester le même en dépit de la péremption.

● L'expérience a montré que les huiles végétales se conservent mieux lorsqu'elles sont mélangées à des huiles essentielles, car celles-ci ont des vertus conservatrices et germicides.

● Ne versez pas vos huiles végétales dans l'évier ou le lavabo, mais jetez-les séparément !

Conservation

● Les huiles essentielles et les huiles végétales doivent être conservées dans des flacons en verre teinté, à une température comprise entre 15 et 22 °C, car elles sont très sensibles à la lumière, à l'air, au chaud et au froid. Les essences d'agrumes se conservent plus longtemps au réfrigérateur.

● Les flacons doivent être marron, bleu, violet ou blanc laiteux et être équipés d'un bouchon à vis. Vous en trouverez en pharmacie et dans les magasins de cosmétiques naturels à partir d'une contenance de 5 ml.

● Les huiles essentielles se volatilisent au contact de l'air. Aussi ne laissez pas les flacons ouverts trop longtemps et refermez-les bien.

Le coût

Un investissement qui vaut la peine

À première vue, l'utilisation des huiles essentielles ne paraît pas particulièrement bon marché. Leur prix va de quelques euros pour les essences d'agrumes en fiole de 10 ml jusqu'à 15 euros pour certaines fleurs très précieuses en fiole de 1 ml. Toutefois, en investissant un peu au départ, on se constitue un véritable trésor pour plusieurs années : chaque huile peut avoir divers usages et ne s'utilise qu'en infime quantité, que ce soit comme parfum d'ambiance, dans une huile corporelle, une crème ou un bain, pour se parfumer ou cuisiner (voir page 16), pour soigner les maux de tous les jours ou tout simplement pour se sentir mieux. Vous constaterez donc à moyen et long terme qu'avec les huiles essentielles on dépense moins en produits conventionnels.

Applications

Se soigner soi-même

Aucun risque d'effets secondaires !

Les mises en garde contre les éventuels effets secondaires des huiles essentielles sont de plus en plus fréquentes. Le plus souvent, ces allégations ne reposent pourtant sur aucun examen précis. Or ici comme toujours, c'est le dosage qui détermine la toxicité !

Les huiles essentielles et les mélanges recommandés dans cet ouvrage sont absolument sûrs, y compris pour les femmes enceintes, les enfants en bas âge et les personnes âgées. Utilisées dans les règles de l'art, les huiles essentielles ne peuvent pas avoir d'effets secondaires indésirables.

Recommandations importantes

Les règles de l'art

Lorsque vous utilisez des huiles essentielles à des fins thérapeutiques, conformez-vous aux règles suivantes :

- Les huiles essentielles étant des remèdes très actifs, il faut s'en servir avec autant de circonspection que s'il s'agissait d'un médicament.

Important : le dosage

- Les huiles essentielles sont des substances très concentrées que l'on utilise généralement diluées (page 30). Un dosage trop fort peut provoquer des maux de tête ou une légère nausée.
- Si vous n'avez encore aucune expérience de l'aromathérapie, tenez-vous scrupuleusement à mes recettes, car leur dosage et leur composition ont été maintes fois éprouvés.

Conseil aux allergiques

- Lisez toujours attentivement les notices et conseils d'utilisation.
- Si vous avez la peau sensible ou tendance aux réactions allergiques, testez votre tolérance au produit avant chaque utilisation. Pour cela, versez-en une goutte dans le creux de votre coude. Si une rougeur apparaît, il convient d'être prudent. Les réactions allergiques sont souvent provoquées par la présence de résidus de pesticides ou de solvants, rarement par l'huile elle-même. Aussi est-il recommandé aux personnes allergiques de faire particulièrement attention à la qualité du produit utilisé.

Sensibilité accrue à la lumière

- Certaines huiles contiennent des substances dont les propriétés légèrement euphorisantes accroissent parallèlement la sensibilité de la peau à la lumière. Aussi faut-il éviter de s'exposer au soleil ou de faire des UV après s'en être servi, car elles peuvent provoquer l'apparition de taches pigmentées et déclencher des réactions allergiques inflammatoires. Il s'agit notamment de l'angélique, de la bergamote et, dans une moindre mesure, de tous les agrumes ainsi que du millepertuis. Ce risque sera rappelé par la suite chaque fois qu'il sera fait mention de l'une de ces huiles.

Contact avec les yeux

● En cas de contact avec les yeux, rincez immédiatement à grande eau, puis essuyez délicatement l'œil avec un tampon de ouate imbibé d'huile végétale (huile alimentaire) en allant de l'extérieur vers l'intérieur, en direction du nez.

● Les huiles essentielles ne doivent jamais se trouver à la portée des enfants.

Aucune interaction

● Les huiles essentielles n'interagissent pas avec les éventuels traitements médicamenteux en cours et n'entravent pas l'action des remèdes homéopathiques ou des fleurs de Bach. De nombreux aromathérapeutes me le confirment régulièrement.

Avec parcimonie

● Les huiles essentielles ne doivent pas être utilisées de manière ininterrompue. Abuser des parfums d'ambiance ou se jeter sur une fiole à la moindre indisposition équivaut à se servir des huiles essentielles comme d'une drogue. Dans ce cas d'éventuels effets secondaires ne sont pas à exclure. Comme souvent, ce n'est pas la quantité qui fait l'efficacité. Aussi, pour en profiter pleinement, sachez utiliser vos huiles essentielles avec discernement et parcimonie.

Attention

Vous devez consulter un médecin ou un thérapeute :

● lorsque je l'indique dans le texte,

● lorsque les troubles perdurent au-delà de trois jours, ou qu'ils reviennent à l'arrêt du traitement,

● sans tarder en cas de douleurs vives ou inexpliquées, de forte fièvre, de plaie ouverte ou de brûlure étendue !

L'huile la plus indiquée

Pour une même situation, je donne souvent plusieurs recettes et applications au choix

Dans quel but ?

● Interrogez-vous sur l'effet recherché en priorité, surtout au plan psychique. En cas de refroidissement, tous les complexes proposés sont bactéricides, stimulent le système immunitaire et dégagent les voies respiratoires. Ils se distinguent en revanche par leur effet sur le psychisme. Si vous êtes indécis, vous pouvez néanmoins vous laisser guider par votre nez, car il se trompe rarement sur ce dont nous avons besoin.

Soigner quelqu'un

● Si vous souhaitez traiter un membre de votre famille ou un ami au moyen des huiles essentielles, demandez à cette personne de vous décrire précisément son état physique et psychique, puis laissez-lui choisir « son » parfum (page 20), même si ce n'est pas celui pour lequel vous auriez opté.

La bonne application

● Choisissez ensuite une application pour laquelle vous disposez de suffisamment de temps ou de moyens; pour les troubles sévères, ayez recours à la plus efficace : en cas de refroidissement, par exemple, ce sera l'inhalation ou le bain afin d'obtenir une pénétration optimale des principes actifs dans les voies respiratoires et la peau.

Mélanger les huiles

Les huiles essentielles renforcent mutuellement leur action. C'est pourquoi je les utilise presque toujours sous forme de complexes. Et comme, non diluées, elles agissent la plupart du temps trop intensément, je me sers souvent d'un support gras (page 37).

Suivez la recette

● Si vous débutez, tenez-vous-en de préférence aux recettes du livre, car la composition d'un complexe à la fois efficace et agréable à sentir exige autant de savoir-faire et d'expérience que l'invention d'une recette de pâtisserie. Le « feeling » vient avec le temps.

● Pour savoir comment créer dans les règles de l'art un parfum à porter, voyez page 87.

Comment procéder ?

Ce dont vous avez besoin

Avant de commencer votre mélange, préparez les ustensiles nécessaires de façon à les avoir à portée de main :

● un support et du papier absorbant (pour le cas où vous en mettriez un peu à côté);

● les huiles essentielles;

● si vous souhaitez préparer une huile corporelle ou un parfum : le support huileux;

● si besoin est, un flacon en verre teinté;

- une étiquette, un stylo et un rouleau de bande adhésive transparente.

Complexes de base

Base pour usages multiples

Il s'agit de mélanges d'huiles essentielles pouvant servir à de multiples usages et s'utiliser à très faible dose. Mettez votre complexe de base de préférence dans une fiole marron de 5 ml munie d'un compte-gouttes et utilisez-le dans les cas indiqués.

Huiles corporelles selon la recette

Tout simplement

Ajoutez goutte-à-goutte les huiles indiquées au support huileux et mélangez doucement (voir *Conseils pratiques*, ci-contre). Les huiles végétales utilisées comme support (page 37) n'ont généralement aucune incidence sur les propriétés du produit fini. C'est pourquoi je m'abstiens le plus souvent de toute recommandation à ce sujet.

Huiles corporelles personnalisées

Dosez délicatement !

Remplissez un flacon aux deux tiers avec un support huileux. Versez goutte-à-goutte les huiles essentielles de votre choix – allez-y doucement de manière à pouvoir corriger si besoin est !

Dosage

La règle de base veut que quelques gouttes suffisent !
Dans une huile corporelle, vous ne devez pas mettre plus de 20 gouttes d'huiles essentielles pour 50 ml de support huileux.
Dans un brûle-parfum ou dans l'eau du bain, trois à cinq gouttes suffisent généralement. En tout cas, ne dépassez jamais 10 gouttes.

Mélangez le tout et frottez un peu du produit fini sur le dos de la main. Manque-t-il quelque chose ? Avant de corriger songez que la lotion va mûrir pendant quelques semaines et devenir plus ronde, comme un parfum (page 86). Pour finir, achevez de remplir le flacon avec le support huileux.

Conseils pratiques

Mélanger et noter

- Pour mélanger, ne secouez pas le flacon, mais renversez-le plusieurs fois ou faites-le rouler entre vos mains.
- Notez toujours sur le flacon : *l'indication thérapeutique, les ingrédients, la date de fabrication et, s'il y a lieu, la date de péremption du support huileux*. Pour éviter que l'encre ne s'efface, recouvrez l'étiquette d'une bande adhésive transparente.
- Si vous souhaitez offrir votre mélange à quelqu'un, joignez-y une petite notice d'utilisation.

Complexes de réserve

- Il est utile de se faire des réserves de parfum d'ambiance pour emporter au travail ou en voyage et pour offrir. Une fiole de 5 ml contient environ 70 gouttes d'huile essentielle, mais vous n'êtes bien sûr pas obligé de la remplir complètement. Faites votre estimation par rapport au nombre de gouttes indiqué dans la recette. Ce faisant, rien ne vous empêche de réduire la proportion d'huiles très intenses, comme la rose, le jasmin, le cèdre ou le vétiver.
- Pour savoir comment créer un parfum à porter, reportez-vous page 88.
- Fioles vides et feuilles de papier absorbant usagées peuvent servir à parfumer les armoires à vêtements pendant quelques jours.

Mode d'emploi

Brûle-parfum

Au moyen d'un brûle-parfum, vous pouvez rendre une pièce plus agréable à vivre, assainir l'atmosphère, augmenter votre capacité de concentration, créer des ambiances et soulager certains troubles physiques ou psychiques.

Conseils pour l'achat

Il existe des diffuseurs d'arômes électriques et des brûle-parfum en céramique, verre ou albâtre fonctionnant avec une bougie chauffe-plats. Les appareils équipés d'une coupelle amovible sont plus faciles d'entretien.

La taille de la coupelle et sa distance par rapport à la source de chaleur importent beaucoup car plus elle est petite et proche de la flamme, plus l'eau chauffe rapidement. Celle-ci ne doit pas dépasser 55 °C et encore moins frémir car, si c'était le cas, l'évaporation serait trop rapide, les huiles cuiraient et leur parfum ainsi que leurs propriétés seraient altérés.

La sécurité avant tout

Attention : pour des raisons de sécurité, seuls les diffuseurs d'arômes électriques sont autorisés dans les hôpitaux et les maisons de retraite. Ils sont également recommandés pour les chambres d'enfant. Pensez du reste à toujours mettre brûle-parfum et huiles essentielles hors de portée des personnes affaiblies et des enfants.

Applications

Conseils pour l'utilisation du brûle-parfum

1 Commencez par remplir la coupelle avec de l'eau, puis versez-y les huiles essentielles goutte à goutte. En utilisant de l'eau distillée, vous éviterez les dépôts de calcaire. Ne mettez pas d'huiles végétales (grasses) dans votre coupelle.

2 Soyez parcimonieux dans le dosage ! Mes recettes sont prévues pour des pièces d'au moins 16 m^2. Il faut que le parfum reste très léger. Si l'odeur vous paraît trop forte, éteignez l'appareil. Pour ne pas vous lasser, ne laissez jamais votre brûle parfum allumé plus d'une heure ou deux d'affilée.

3 Ne videz pas votre brûle-parfum dans les toilettes car la résine contenue dans les huiles laisse des traces sur l'émail. Jetez plutôt l'eau dans l'évier en rinçant abondamment, mettez-la dans l'eau d'arrosage à raison du contenu d'une coupelle pour 10 litres d'eau ou bien versez-la dans un saturateur. Retirez la résine amassée au fond de la coupelle avec de l'alcool à 70° et faites dissoudre le calcaire avec du vinaigre.

Solutions de rechange

Info : un brûle-parfum n'est pas absolument indispensable. Pour commencer ou lorsque vous êtes en déplacement, vous pouvez très bien vous contenter d'une soucoupe ou d'un cendrier rempli d'eau (que vous pourrez poser en hiver sur un radiateur pour accroître l'effet).

Huiles visqueuses

Certaines huiles essentielles, comme le benjoin, le mimosa ou le vétiver, sont si visqueuses que leur dosage nécessite l'utilisation d'une petite spatule ou d'une pipette en verre (en vente dans les magasins de cosmétiques naturels). Ce qui reste suspendu à la pipette correspond environ à une goutte. Si la goutte refuse de tomber, entraînez-la avec un peu d'hydrolat ou d'alcool.
Versez tout d'abord un peu d'alcool dans le fond de la coupelle afin de diluer l'huile, puis ajoutez l'eau.

Premiers soins

Sur un mouchoir

- Autre utilisation pratique des huiles essentielles lorsqu'on est en déplacement : versez-en une ou 2 gouttes sur un mouchoir et inhalez le parfum régulièrement. Cette méthode est préférable à l'inhalation à même la fiole, car elle permet au parfum de mieux développer ses principes.

Sur l'oreiller

- Pour passer une bonne nuit : frottez une goutte d'huile essentielle entre vos mains et étalez le parfum sur votre oreiller. Cela est très utile en voyage ou à l'hôpital, notamment en cas de refroidissement (pages 56 et 66).

Entrer dans l'eau, se détendre, savourer - le bain parfumé est un vrai bonheur

Bain complet

Prendre un bain peut servir à se détendre ou à se défatiguer, mais aussi à lutter contre le refroidissement au stade initial. L'effet dépendra du complexe choisi.

Éléments importants : température, dosage, durée

1 Laissez la baignoire se remplir avant de verser les huiles. Température de l'eau : entre 35 et 38 °C
Attention : les femmes enceintes, les enfants, les personnes souffrant de troubles cardio-vasculaires et les personnes âgées ne doivent jamais entrer dans une eau de plus de 38 °C !

2 Versez 3 à 5 gouttes d'huiles essentielles dans 50 à 100 ml de crème, 1 c. à café de lait entier ou une c. à café de miel, mélangez et mettez dans l'eau. Ces émulsifiants jouent un rôle important car, sans eux, les huiles essentielles, qui ne sont pas solubles dans l'eau, flotteraient à la surface et risqueraient d'irriter la peau.

3 Sortez de l'eau au bout de 10-15 minutes. Séchez-vous bien. Après un bain thérapeutique, il est recommandé de s'allonger une heure, chaudement enveloppé dans une couverture.

Bain de pieds

Un bain de pied peut avoir les mêmes effets qu'un bain complet. Mélangez 2 ou 3 gouttes d'huiles essentielles à un émulsifiant (voir page 33) et versez la mixture ainsi obtenue dans une eau dont la température n'excède pas 38 °C.

Inhalation

Simple et très efficace

En cas de refroidissement, l'inhalation est (avec le bain) l'application la plus efficace !

1 Versez les huiles essentielles de la recette dans un grand bol ou un saladier rempli d'eau bouillante. Couvrez-vous la tête avec une serviette et penchez-vous sur le récipient.

2 Respirez la vapeur lentement et profondément, si possible par le nez, pendant 5 à 7 minutes.

3 Essuyez-vous bien le visage et restez enfermé chez vous pendant au moins une heure, sous peine de voir les symptômes s'aggraver.

Attention : en raison des risques de brûlure, ne laissez pas un enfant ou une personne affaiblie pratiquer l'inhalation sans surveillance.

Usage interne

Normalement sur prescription

La prise d'huiles essentielles par voie orale doit normalement être prescrite par un médecin ou un thérapeute expérimenté. Les quelques exceptions à cette règle seront mentionnées dans la suite de cet ouvrage.

Huiles pour le corps

Les complexes constitués d'un mélange d'huiles végétales (grasses) et d'huiles essentielles permettent de traiter localement certains troubles gastro-intestinaux ou bien les courbatures. Ils représentent un baume pour l'âme et un bienfait pour la peau.

Friction douce

- La friction est une application simple et efficace : étalez l'huile de manière régulière sur la peau avec les deux mains : ce geste peut être source de beaucoup de plaisir pour le massé, qu'il s'agisse de soi-même ou de quelqu'un d'autre, si l'on prend le temps de l'effectuer avec soin et amour.
- Le véritable massage aux huiles essentielles est un traitement très usité en aromathérapie. Il est très efficace pour soigner les maux courants et améliorer l'état de santé général, car l'action des huiles et celle du massage se complètent et se renforcent. Cependant, le massage aromathérapeutique nécessite des connaissances qui dépassent le cadre de cet ouvrage.
- Il me semble néanmoins utile de vous présenter ici deux massages à la fois très polyvalents et très simples à réaliser :

Massage de l'oreille

Selon la composition de l'huile, vous pouvez y avoir recours pour vous sentir mieux de manière générale, pour augmenter votre capacité de concentration, mais aussi pour vous relaxer en cas d'angoisse ou de stress et pour dormir d'un sommeil réparateur.

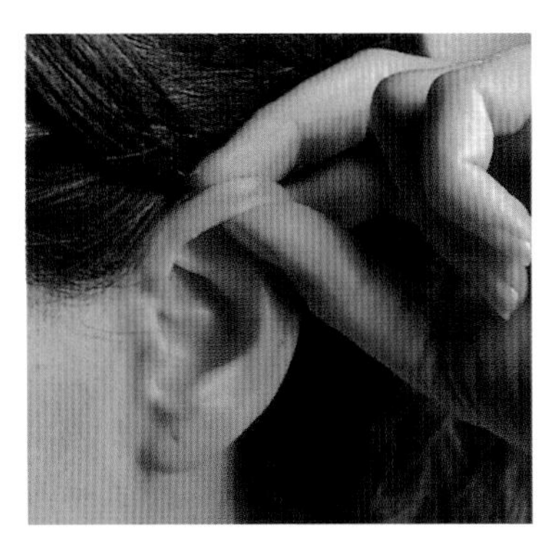

Effleurez le pavillon de l'oreille

Stimulant ou relaxant selon la composition de l'huile

1 Placez votre huile de massage à portée de main et allongez-vous confortablement. Si vous avez les cheveux longs, attachez-les. Massez-vous les deux oreilles simultanément :

2 Mettez un peu d'huile sur le bout de vos doigts et étalez-la délicatement à l'intérieur et à l'extérieur du pavillon. Frictionnez afin de bien sentir vos oreilles.

3 Placez la pulpe de l'index et du majeur derrière le lobule de l'oreille, sur l'os du crâne, puis faites de petits mouvements circulaires vers le haut, en allant jusqu'à la naissance du pavillon.

4 Saisissez la partie supérieure du pavillon - pouce à l'intérieur, index et majeur à l'extérieur - puis faites glissez lentement les doigts du centre de l'oreille vers la périphérie. Effleurez ainsi le pavillon de manière répétitive en descendant progressivement vers le lobule. À mi-parcours, modifiez la position des doigts, une main après l'autre, de manière à ce que le pouce se retrouve à l'extérieur du pavillon et l'index à l'intérieur. Exécutez les points 3 et 4 au moins trois fois.

5 Effleurez ensuite délicatement avec les doigts la chaîne lymphatique située de chaque côté du cou en allant de l'angle de la mandibule jusqu'à la clavicule.

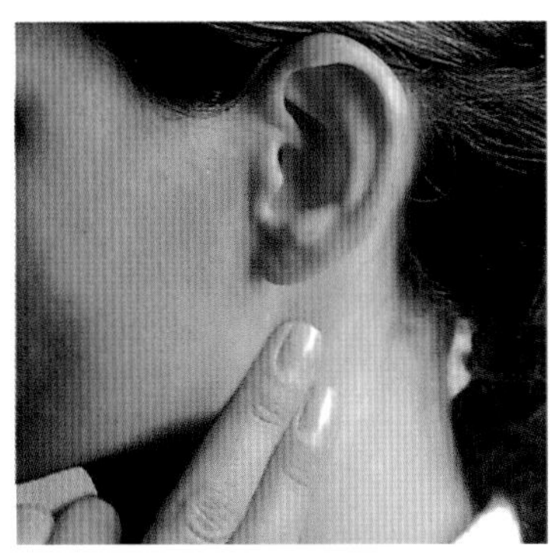

Effleurez la chaîne lymphatique

Massage du ventre

Selon la composition de l'huile, le massage du ventre produit un effet relaxant, apaisant, chasse les gaz, soulage les troubles gastro-intestinaux et les douleurs menstruelles ou calme les troubles psychiques.

Attention : ne pas effectuer en cas de troubles inflammatoires touchant l'abdomen !

1 Placez votre huile de massage à portée de main et allongez-vous confortablement, la tête soutenue par un oreiller. Pour détendre votre ventre et votre bassin, placez un coussin ou une serviette roulée sous vos genoux ou, mieux encore, surélevez vos jambes en posant les mollets sur un tabouret rembourré ou un gros coussin.

2 Versez un peu d'huile dans le creux de vos mains et posez-les l'une à côté de l'autre à plat sur ventre, puis effleurez celui-ci délicatement en faisant des mouvements dans le sens des aiguilles d'une montre. Massez ainsi très doucement pendant au moins 5 minutes en exerçant une légère pression - selon votre goût.

Un massage doux du ventre permet de soulager de nombreux troubles

3 Pour finir, faites trois cercles plus grands.

■ Rien ne vous empêche de masser ainsi le ventre de votre partenaire ou de votre enfant.

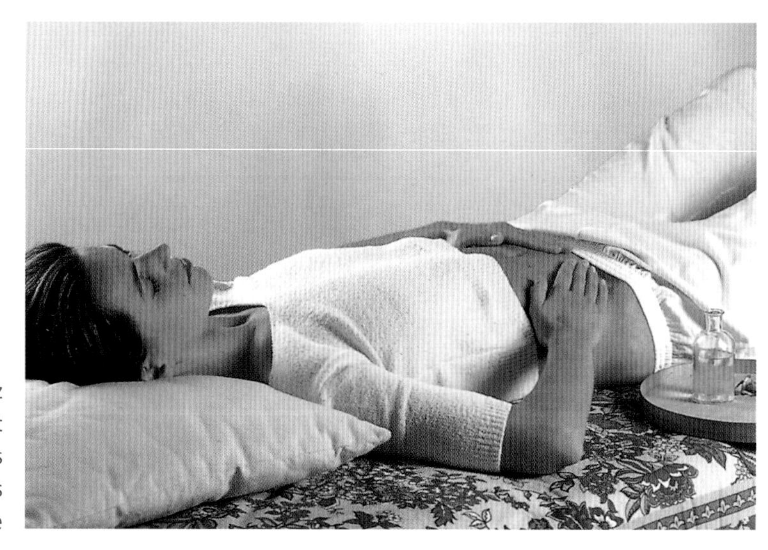

Effleurez simplement dans le sens des aiguilles d'une montre

Spécifications

Les supports huileux (huiles végétales)

Pour diluer les huiles essentielles on se sert généralement d'huiles végétales (grasses) obtenues selon différentes techniques : par extraction et raffinage ou par pression à froid ou à chaud. Seule la pression à froid permet de conserver aux huiles toutes leurs vertus, mais le rendement étant assez faible, le prix de ces produits de première qualité, bien adapté à l'aromathérapie, est relativement élevé. Beaucoup d'huiles végétales ont des propriétés curatives et thérapeutiques exceptionnelles et participent à l'action des huiles de massage auxquelles elles servent de support.

Extraction des huiles végétales

Action curative t thérapeutique

Macérats

Les macérats, dont le spectre est encore plus large, sont fabriqués de la manière suivante : la plante choisie est mise à macérer dans une huile végétale et placée au soleil durant quelques semaines de manière à ce que le support s'imprègne des substances actives de la plante, dont les propriétés viennent ainsi s'ajouter aux siennes.

■ Pour les applications thérapeutiques, je choisis toujours des huiles ou macérats très bien tolérés par la peau, à l'odeur neutre et/ou riches en substances actives.

Huile d'aloès

Aloe barbadensis, Glycine max
Jus d'aloès et huile de soja.
Durée de conservation limitée; odeur neutre.
Effets : stimule la circulation et le métabolisme, désintoxique l'organisme, régule la teneur en eau de la peau, régénère les cellules et apaise; recommandée pour les peaux sensibles.

Aloès - un remède ancestral

Huile d'amande douce

Prunus amygdalus dulcis
Première et seconde pression à froid du noyau mou et sucré de l'amande.
Durée de conservation limitée; parfum de d'amande, plus ou moins prononcé selon l'origine.
Effets : excellente pour la peau en raison de sa forte teneur en acides gras insaturés et en vitamines; calme l'épiderme. Convient à tous les types de peau.

Appréciée depuis des générations

Spécifications

Huile de jojoba

Simmondsia chinensis

Une huile qui n'en est pas une

Il s'agit en fait d'une cire liquide obtenue par pression à froid des fruits, qui n'a pas d'odeur et ne rancit pas. À une température n'excédant pas 15 °C et à l'abri de la lumière, il est possible de la conserver indéfiniment.
Effets : très bénéfique pour la peau, car elle contient beaucoup de sels minéraux et de vitamines ; antiallergique ; régulateur hydrique de la peau et protecteur du film acide. Pénétration cutanée rapide ; convient à tous les types de peau. Support idéal pour les parfums.

Huile de millepertuis

Hypericum perforatum,
Olea europea

Force solaire à l'état pur

Produit obtenu par macération de millepertuis dans de l'huile d'olive ; également appelé huile rouge en raison de sa couleur.
Durée de conservation limitée ; parfum prononcé, sucré et aromatique.
Effets : anti-inflammatoire puissant, digestif, stimulant immunitaire, neuro-sédatif et antispasmodique au niveau du système neuro-végétatif.
Attention : l'huile de millepertuis contient de l'hypéricine, principe actif qui accroît la sensibilité de la peau à la lumière (page 27).

Huile de noix de macadamia

Macadamia integrifolia
Pression à froid des noix.
Durée de conservation limitée ; légère odeur de noix.

Cajole et parfume délicatement la peau

Effets : très bien tolérée en raison de sa forte teneur en acides gras insaturés ; très bien absorbée par la peau ; régénère et retend la peau, tout en lui conférant un aspect satiné.

Autres supports huileux

Info : la peau tolère très bien les macérats d'arnica, de calendula (souci), de graines de carotte et de fleurs de pavot ainsi que les huiles de noyau d'abricot, de noisette, d'olive, de sésame et de germes de blé. Leur odeur, souvent assez prononcée, peut toutefois déplaire à certaines personnes.

Hydrolats thérapeutiques

L'eau parfumée produite lors de la distillation à la vapeur d'eau (page 12) est appelée hydrolat ou eau florale. Elle renferme des substances végétales solubles dans l'eau ainsi que des traces d'huile essentielle. Aussi les hydrolats possèdent-ils les mêmes propriétés que les huiles correspondantes. Ils sont particulièrement bien tolérés par la peau, sont rafraîchissants, astringents, anti-inflammatoires et légèrement désinfectants. Les hydrolats purs ne contiennent ni alcool ni agents de conservation et sont parfaitement adaptés aux soins cutanés : dans les crèmes, les lotions pour le visage et les après-rasage, pour les compresses, la toilette intime et la toilette des nouveau-nés. Rien n'empêche en outre d'en verser quelques gouttes dans un brûle-parfum ou sur un mouchoir pour les inhaler. Les hydrolats peuvent même être utilisés en cuisine. Il est par exemple habituel de parfumer le massepain à l'eau de rose.

Action curative et thérapeutique

Aussi en cuisine

■ Je recommande, au choix, en fonction des propriétés et du parfum, les hydrolats d'hammamélis, lavande, fleur d'oranger, menthe poivrée, rose, romarin, sauge sclarée, tea-tree ou cyprès.

Les huiles essentielles de A à Z

Environ 200 huiles essentielles sont en vente libre. Dans ma pratique professionnelle, j'en utilise une bonne partie, mais cela reviendrait beaucoup trop cher pour un usage privé. Il m'arrive régulièrement d'en essayer une que je ne connaissais pas et d'être impressionnée par son pouvoir thérapeutique. Pour ce livre, j'ai choisi une sélection qui permettra au débutant de découvrir le « royaume des parfums ». Ce sont des huiles particulièrement polyvalentes qui ont fait leurs preuves depuis longtemps et qui peuvent être utilisées sans aucun risque à des fins thérapeutiques, dans la mesure où les indications concernant le dosage sont respectées (page 30). Toutes ces huiles peuvent être utilisées de différentes façons : pour le bien-être, pour les soins du corps, comme parfum, pour traiter les maux courants et, pour certaines, comme épices.

Huiles spéciales débutants

Utilisation polyvalente

Angélique

Angelica archangelica
Distillation des racines à la vapeur d'eau. Odeur terreuse et épicée.

Tonique et anxiolytique

Spécifications

Effets : neuro-sédatif, anxiolytique, tonique, stabilisant; antiseptique puissant; stimulant immunitaire; légèrement expectorant, circulatoire, stimulant gastrique et carminatif.
Attention : accroît la sensibilité de la peau à la lumière (page 27).

Basilic

Baume pour l'âme

Ocimum basilicum
Distillation des parties aériennes à la vapeur d'eau. Parfum épicé.
Effets : relaxant et euphorisant léger; digestif, antispasmodique, calmant et antiseptique.

Benjoin de Siam

Chaleur et bien-être

Styrax tonkinensis
Extraction de la résine par incision de l'écorce. Parfum balsamique et vanillé.
Effets : calmant; procure un sentiment de chaleur et de bien-être; équilibrant, antiseptique, expectorant, anti-inflammatoire et vulnéraire.

Bergamote

Un rayon de soleil dans la grisaille

Citrus aurantium bergamia
Pression à froid du zeste. Parfum frais et fruité, légèrement sucré.
Effets : calmant; décontractant, anxiolytique, euphorisant léger, stimulant; antiseptique puissant, antiviral, fébrifuge, antispasmodique.
Attention : accroît la sensibilité de la peau à la lumière (page 27).

Bois de rose

Apaisant et assainissant

Aniba rosaeodora
Distillation à la vapeur d'eau de l'écorce broyée. Parfum sucré et boisé, liliacé, évoquant la rose.
Effets : calmant, euphorisant léger; antiviral, bactéricide, antifongique, stimulant; bonne tolérance cutanée.

Cajeput

L'huile des refroidissements et des états douloureux

Melaleuca cajeputi leucadendron
Distillation des feuilles et de l'extrémité des brindilles à la vapeur d'eau. Parfum analogue à celui de l'eucalyptus, mais moins prononcé et avec une note fruitée rappelant le clou de girofle.
Effets : antiseptique puissant, expectorant, antiviral, circulatoire, analgésique, décontractant musculaire.

Cannelle

Sucré, chaleureux et efficace

Cinnamomum ceylanicum
Distillation à la vapeur d'eau de l'écorce séchée. Parfum sucré,

chaud, épicé, évoquant le clou de girofle.
Effets : calmant, fortifiant, stimulant; bactéricide, antiviral, antifongique, anti-inflammatoire et circulatoire.

Cèdre (bois de cèdre)

Cedrus atlantica
Aide précieuse en cas de crise

Distillation du bois à la vapeur d'eau. Parfum chaleureux, boisé et balsamique.
Effets : calmant, harmonisant, fortifiant, réconfortant; antiseptique, stimulant immunitaire, expectorant, assainissant, décontractant.
Attention : seule l'huile essentielle de *Cedrus atlantica* possède les propriétés susdites. Or, malheureusement, plusieurs produits sont aujourd'hui vendus sous l'appellation de « bois de cèdre » en dépit d'une composition chimique complètement différente. Alors faites bien attention au nom latin !

Ciste

Cistus ladaniferus
Du cœur à l'ouvrage

Distillation des feuilles et des rameaux à la vapeur d'eau. Parfum prononcé et épicé.
Effets : euphorisant léger, équilibrant, désinhibant; circulatoire, chauffant, spasmolytique, décongestionnant, antiseptique.

Citron

Citrus limonum
Propreté et fraîcheur

Pression à froid du zeste. Parfum frais et fruité.
Effets : stimulant, euphorisant léger, activant, favorise la concentration; fébrifuge, antiseptique, anti-inflammatoire.

Coriandre

Coreandrum sativum
Épicée et suave

Distillation des graines à la vapeur d'eau. Parfum anisé, chaleureux et très suave.
Effets : apaisant, antispasmodique, carminatif, stimulant et fortifiant.

Cumin officinal

Cuminum cyminum
Note orientale

Distillation des graines à la vapeur d'eau. Parfum chaleureux, épicé, évoquant l'anis.
Effets : digestif, carminatif, antispasmodique, apéritif, fortifiant, circulatoire; érotisant.

Cyprès

Cupressus sempervirens
Structure et concentration

Distillation des feuilles, des rameaux et des fruits à la vapeur d'eau.

Effets : structurant, équilibrant, favorise la concentration, éclaircit les idées ; astringent, vasoconstricteur (vasodilatateur au niveau des bronches), antispasmodique, désodorisant ; éloigne les insectes.

Estragon

Artemisia dracunculus

Aide d'urgence pour l'intestin

Distillation de la plante en fleurs. Parfum prononcé, frais, épicé, anisé.
Effets : très spasmolytique, digestif, décontractant, antiviral.

Fenouil doux

Foeniculum vulgare dulce

L'huile qui chasse les gaz

Distillation à la vapeur d'eau des graines écrasées. Parfum chaleureux, épicé, sucré, anisé.
Effets : digestif, carminatif puissant et antispasmodique, stimulant gastrique, circulatoire, dépuratif, expectorant, galactogène.

Gingembre

Zingiber officinalis

Chaleur épicée

Distillation des racines à la vapeur d'eau. Parfum très aromatique.
Effets : régénérant, réchauffant, carminatif, stomachique ; érotisant.

Genévrier

Juniperus communis

Assainissant et fortifiant

Distillation des rameaux et des fruits à la vapeur d'eau. Parfum prononcé, fruité.
Effets : stimulant, fortifiant, assainissant, diurétique, antispasmodique et apaisant.

Géranium rosat

Pelargonium graveolens

Équilibre et assainissement

Distillation des feuilles à la vapeur d'eau. Parfum fleuri, aromatique, évoquant la rose.
Effets : équilibrant, euphorisant léger ; antiviral, anti-infectieux, bactéricide, antispasmodique, protecteur cutané.

Jasmin

Jasminum grandiflorum

Enivrant et érotisant

Extraction par solvant des principes contenus dans les fleurs. Parfum prononcé, chaleureux, sucré, entêtant.
Effets : antispasmodique général, décontractant, tonique, harmonisant ; érotisant et stimulant.

Lavande

Lavandula officinali, L. veris, L. angustifolia

Remède général

Distillation des fleurs et des panicules à la vapeur d'eau. Parfum âpre, légèrement boisé, aromatique.

- Lavande fine : obtenue à partir de lavande officinale cultivée.
- Lavande extra : obtenue à partir de lavande officinale sauvage cueillie en altitude.

Effets : équilibrant, calmant, fortifiant, stimulant et rafraîchissant; bactéricide, antiviral, antiseptique, antifongique, vulnéraire, analgésique, antispasmodique; éloigne les insectes.

Lavandin – culture à grande échelle

- Lavandin (*Lavandula hybrida*) : lavande cultivée à grande échelle; meilleur marché que l'huile essentielle de lavande en raison du fort rendement. Le lavandin ne se compose pas des mêmes constituants que la lavande officinale et ses effets thérapeutiques sont différents, mais il est aussi très efficace en cas de brûlure.

Lemongrass

Cymbopogon flexuosus

L'air frais des montagnes

Distillation des feuilles à la vapeur d'eau. Parfum citronné, aromatique et frais.

Effets : euphorisant léger, stimulant, rafraîchissant, vivifiant; antiseptique, antiviral.

Limette

Citrus aurantifolia

Sérénité

Pression à froid du zeste. Parfum frais, citronné, douceâtre.

Effets : euphorisant léger, rassérénant, stimulant, rafraîchissant, harmonisant; antispasmodique, antiseptique, désinfectant.

Litsée

Litsea cubeba

Lâcher prise et se détendre

Distillation des fruits à la vapeur d'eau. Parfum douceâtre, très citronné

Effets : revigorant, calmant, rassérénant, euphorisant léger, stimulant; bactéricide, carminatif, antispasmodique, protecteur cutané et stimulant.

Spécifications

Mandarine rouge/verte

Citrus reticulata
Pression à froid du zeste. Parfum fruité et sucré.
Effets : euphorisant léger, stimulant, rafraîchissant, harmonisant; antispasmodique, fébrifuge, antiseptique, désinfectant.

Fraîcheur fruitée

Menthe poivrée

Mentha piperita
Distillation des feuilles à la vapeur d'eau. Parfum rafraîchissant.
Effets : éclaircit les idées; antispasmodique, carminatif, stimulant immunitaire, bactéricide, antiviral, antifongique, anti-inflammatoire, dépuratif, assainissant, régénérateur cellulaire, circulatoire, fébrifuge, sudorifique, rafraîchissant et chauffant.

Une fraîcheur stimulante

Mimosa

Acacia dealbata
Extraction par solvant des principes contenus dans les fleurs. Parfum balsamique, chaleureux, sucré, fleuri.
Effets : rassérénant, euphorisant léger, équilibrant, fortifiant.

Pour les âmes fragiles

Néroli

Citrus aurantium bigaradia
Distillation des fleurs à la vapeur d'eau. Parfum prononcé, frais, avec une note fleurie sur fond chaud.
Effets : calmant, anxiolytique, euphorisant léger et décontractant; apaisant pour le corps et antispasmodique.

Réconfort et apaisement en cas d'angoisse

Palmarosa

Cymbopogon martinii
Distillation des feuilles à la vapeur d'eau. Parfum frais, fleuri, évoquant la rose.
Effets : calmant, équilibrant, euphorisant léger; antiviral, antifongique, bactéricide, anti-inflammatoire, cardiotonique, bonne tolérance cutanée.

Parfum champêtre évoquant la rose

Pamplemousse

Les bienfaits des agrumes

Citrus paradisi

Pression à froid du zeste. Parfum frais, pétillant, fruité.

Effets : euphorisant léger, rasséréna nt, stimulant, rafraîchissant et harmonisant; antispasmodique, fébrifuge, antiseptique et désinfectant.

Petitgrain

Âpre et rafraîchissant

Citrus aurantium ssp. aur.

Distillation à la vapeur d'eau des feuilles, des rameaux et des boutons de l'orange amère (néroli). Parfum âpre, fruité et citronné.

Effets : euphorisant léger, stimulant, rafraîchissant, harmonisant; antispasmodique, fébrifuge, antiseptique, désinfectant.

Poivre noir

Chaleur stimulante

Piper nigrum

Distillation des fruits à la vapeur d'eau. Parfum épicé, chaleureux mais non relevé, car l'huile essentielle est exempte de pipérine.

Effets : digestif, stimulant, circulatoire et chauffant.

Romarin

Réveille l'esprit

Rosmarinus officinalis
CT 1,8-cinéol

Distillation des parties aériennes à la vapeur d'eau. Parfum camphré, aromatique.

Effets : stimule les fonctions mnésiques, accroît la capacité de concentration; circulatoire, antispasmodique, analgésique, expectorant, antiseptique puissant, stimulant métabolique.

Rose de Damas, rose centfeuilles

La grande guérisseuse

Rosa damascena

Distillation des fleurs à la vapeur d'eau. Parfum chaleureux, entêtant, légèrement fleuri, aromatique.

Rosa centifolia (rose centfeuilles ou de Provence)

Extraction par solvant des principes contenus dans les fleurs. Parfum fleuri et sucré.

Effets : harmonisant, équilibrant, désinhibant, érotisant; antiviral, antiseptique, antispasmodique, apaisant, anti-inflammatoire, vulnéraire; éloigne les insectes.

Santal

Santalum album

Chaleur balsamique

Distillation à la vapeur d'eau du bois moulu. Parfum chaleureux, boisé, balsamique, légèrement sucré.
Effets : harmonisant, apaisant, régénérant, assainissant.

Sapin de Douglas (pin de l'Oregon)

Pseudotsuga menziesii

Respirer librement

Distillation des rameaux à la vapeur d'eau. Parfum frais et aromatique.
Effets : tonique, fortifiant, stimulant immunitaire, bactéricide, expectorant, analgésique.

Essences de conifères et d'agrumes

Les huiles essentielles de sapin, d'épicéa ou de pin produisent à peu près les mêmes effets. Aussi sont-elles relativement interchangeables. Si, par exemple, vous n'avez pas de sapin de Douglas, l'un des seuls conifères à figurer dans mes recettes, rien ne vous empêche de le remplacer par du pin maritime ou du sapin baumier.
La même remarque vaut pour les agrumes tels que citron, orange, pamplemousse, limette ou mandarine, mais pas pour la bergamote.

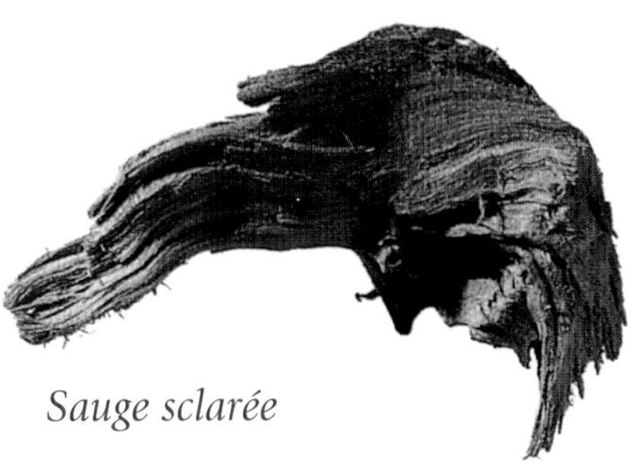

Sauge sclarée

Salvia sclarea

Relaxation inspirée

Distillation à la vapeur d'eau de la plante en fleurs. Parfum chaleureux, sucré, légèrement résineux.
Effets : relaxe le corps et l'esprit; vivifiant, stimulant, inspirant et érotisant.

Tea-tree (arbre à thé)

Melaleuca alternifolia

Remède (quasiment) miracle

Distillation des feuilles à la vapeur d'eau. Parfum épicé, évoquant le laurier et un peu « particulier ».
Effets : relève l'humeur; bactéricide, antiviral, antifongique, anti-inflammatoire, antiphlogistique, analgésique, antiprurigineux, assainissant cutané (voir aussi l'encadré, page suivante).

Thym

Thymus vulgaris – CT Thymol

Antiseptique hors pair

Distillation des parties aériennes à la vapeur d'eau. Parfum très aromatique.

Effets : antiseptique puissant, assainissant, stimulant immunitaire, expectorant, circulatoire, apéritif, stimulant mnésique.

Tonka

Rêves d'Orient

Dipterix odorata
Extraction par solvant des principes contenus dans la graine. Parfum épicé, chaleureux, évocateur de l'Orient.
Effets : érotisant, stimulant, vivifiant.

Vétiver

Telle une main protectrice

Vetiveria zizanioides
Distillation des racines à la vapeur d'eau. Parfum chaleureux et épicé, boisé et balsamique.
Effets : régénérant, fortifiant, réconfortant et relaxant.

Le tea-tree est-il un remède miracle ?

L'huile essentielle de tea-tree (page 45) est considérée depuis quelque temps comme la nouvelle panacée. De fait, ce remède a prouvé son efficacité dans le traitement de nombreux maux courants. Son succès s'explique toutefois en grande partie par les travaux approfondis que lui ont consacrés les scientifiques sur l'initiative des producteurs australiens.
Or aussi, efficace soit-elle, l'huile de tea-tree n'en est pas pour autant un remède universel !
Certaines plantes, telles que lavande ou rose, sont d'ailleurs aussi polyvalentes si ce n'est plus, alors que d'autres représentants du genre *Melaleuca*, tels que cajeput ou niaouli, possèdent des vertus analogues à celles du tea-tree et sont même plus efficaces en ce qui concerne certaines indications.
Il faut en outre savoir que c'est en association, par exemple avec la lavande ou le palmarosa, que le tea-tree développe le mieux ses propriétés ! Une utilisation exclusive ne présente généralement pas grand intérêt, pas plus du point de vue thérapeutique que du point de vue olfactif, car son odeur n'est pas du goût de tout le monde.

Ylang-Ylang

Féminité épanouie

Cananga odorata
Distillation des fleurs à la vapeur d'eau. Parfum lourd et sucré.
Effets : relaxant pour le corps et l'esprit, équilibrant et érotisant.

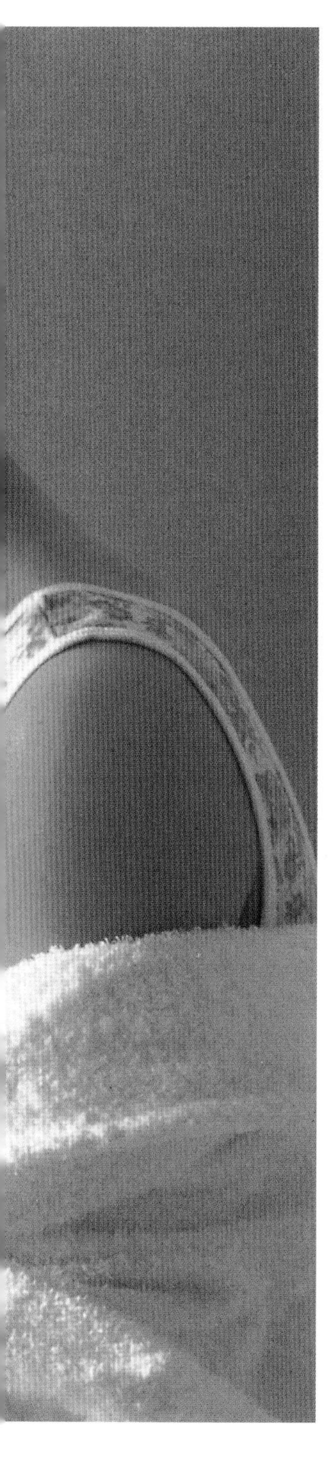

Des huiles pour chaque cas

Prendre la vie du bon côté : voilà certainement la clé de la santé et du bonheur. Or, les huiles essentielles constituent une aide inappréciable pour se sentir bien et échapper aux maux courants qui gâchent souvent la vie quotidienne. Vous trouverez dans ce chapitre quantité de recettes pour améliorer votre bien-être ainsi que des suggestions pour passer un moment agréable à deux, pour prendre soin en douceur de votre peau ou pour créer votre propre parfum.

Utiliser le pouvoir des huiles au quotidien

Penser l'individu dans sa globalité

Quiconque prend soin de soi ne tombe pas si facilement malade, surtout s'il sait s'accorder des petits plaisirs et trouver l'équilibre entre tension et relâchement. Car toute maladie est comme un appel au secours qui signale que quelque chose fait défaut dans le « système général ».

Comme un appel au secours...

Lorsque nous nous surmenons constamment, que nous négligeons les besoins élémentaires de notre organisme ou que nous réprimons tout sentiment négatif, tel que tristesse ou colère, il arrive forcément un jour où notre corps se rebelle et dit stop. Qui n'est jamais tombé malade après plusieurs semaines de stress ? La maladie nous impose le repos que nous aurions dû prendre depuis longtemps si nous avions été plus raisonnables. Aussi, plutôt que de se gaver de médicaments pour reprendre le travail le plus tôt possible et rechuter peu après, mieux vaut-il profiter de l'occasion pour prendre du recul et voir s'il n'est pas possible de s'organiser autrement.

... qui doit être entendu

Les huiles essentielles sont bien sûr impuissantes à changer les circonstances extérieures, mais leurs vertus thérapeutiques peuvent vous permettre :

Utilité des huiles essentielles

- de vous faire du bien (à vous et à votre entourage) et d'apporter à votre corps toute l'attention qu'il requiert ;
- de soutenir et renforcer votre psychisme afin de mieux réagir au stress et d'avoir les idées claires pour prendre les bonnes décisions ;
- de traiter les maux de tous les jours en ne vous attaquant pas simplement aux symptômes.

Soigner plutôt que réprimer

Lorsque vous êtes enrhumé, par exemple, les médicaments conventionnels ne font que supprimer les symptômes et ont souvent des effets secondaires indésirables. Avec les huiles essentielles, en revanche, vous viendrez réellement à bout de votre rhume. Les substances actives dont elles se

L'exemple du rhume

composent précipitent la maladie vers son terme, éclaircissent les idées et rendent le sommeil plus réparateur; elles sont germicides, stimulent les défenses immunitaires, accélèrent le processus de guérison et aident à garder le moral. De cette manière, votre rhume passera rapidement. Pour une guérison totale, il faut néanmoins se reposer suffisamment ! Si vous ne laissez pas à votre organisme le temps de se remettre parfaitement, vous tomberez à nouveau malade à la première occasion. Aussi, pour ne pas avoir à recourir trop souvent à mes conseils thérapeutiques, prenez bien soin de vous, au physique comme au moral.

Action globale

Ce qui réussit aux enfants

Le massage ou la friction aux arômes est souvent le moyen le plus efficace de traiter les troubles physiques et psychiques dont peuvent souffrir les enfants. En plus des propriétés de l'huile utilisée, le geste lui-même joue un rôle très important, car il apporte un grand réconfort ! Vous bénéficierez en outre vous aussi de l'effet apaisant et décontractant des huiles essentielles, l'enfant le sentira, et le massage n'en sera que plus efficace.

Un massage doux est plus indiqué

Les limites de l'automédication

- Les maux courants, comme les refroidissements, les petites blessures ou l'humeur maussade, se soignent très bien sans aide extérieure. Consultez toutefois un médecin ou un thérapeute dans tous les cas que j'indique.

Soignez soi-même les maux courants

- Les maladies graves, telles que cancer, sida, dépressions endogènes ou névroses, ne se soignent pas au moyen des huiles essentielles. Cependant, les odeurs agréables et le contact physique étant toujours facteurs de bien-être, le fait d'utiliser des huiles de massage décontractantes et légèrement euphorisantes ou de vous servir d'un brûle-parfum ne peut qu'améliorer votre état de santé général et favoriser le processus de guérison.

Soutien en cas de maladie grave

Attention

Avant tout traitement, lisez attentivement les recommandations formulées aux pages 27 et suivantes ainsi que les indications correspondant aux différentes applications (page 31 et suiv.) ! Soyez par ailleurs intransigeant sur la qualité des huiles qu'on vous propose (page 24) !

Des parfums pour l'âme et l'esprit

Créer une atmosphère

Une atmosphère harmonieuse est indispensable au bien-être. Au moyen d'un brûle-parfum, il est facile de créer une ambiance positive favorisant la détente et la régénération spirituelle. Vous pouvez diffuser dans l'air votre huile préférée, mais les complexes sont plus efficaces et possèdent un parfum souvent plus intéressant. Vous trouverez ci-après quelques exemples que vous pourrez suivre ou dont vous pourrez vous inspirer pour créer vos propres mélanges. Ils seront suivis de complexes antistress ou stimulants adaptés à différents types de problèmes.

Uniquement pour se sentir bien

▶ Versez dans la coupelle de votre brûle-parfum (page 31) les huiles essentielles mentionnées dans les recettes suivantes. Vous pouvez aussi les mélanger à du miel, du lait entier ou de la crème et les mettre ainsi dans l'eau du bain (page 33), les mélanger à 50 ml de support huileux pour obtenir une huile corporelle (page 34) ou en faire un parfum à porter (page 86).

Un zeste d'agrume
répand calme et sérénité :
1 goutte de benjoin de Siam
2 gouttes de litsée
2 gouttes de citron
2 gouttes de mandarine

Éveil printanier
Parfum sucré et balsamique pour avoir bon moral :
1 pipette de mimosa (à diluer dans la coupelle avec 1 ou 2 gouttes d'alcool)
2 gouttes de santal
1 goutte de limette

Simplement avec un brûle-parfum

Rêve fleuri
Parfum envoûtant et très relaxant :
3 gouttes de palmarosa (ou 2 gouttes de bois de rose)
1 goutte de rose de Damas (ou de jasmin)
1 goutte d'ylang-ylang
2 gouttes de néroli

Brise d'été
Pour recharger les batteries - parfum épicé et stimulant :
1 goutte de genièvre
1 goutte de sapin de Douglas (ou autre conifère)
4 gouttes de lavande
2 gouttes de pamplemousse

Forêt enchantée

Parfum épicé et suave qui donne de la force et du cœur à l'ouvrage :

Créateur d'ambiance

1 goutte de cèdre
1 goutte de sapin de Douglas (ou autre conifère)
1 goutte de vétiver
1 goutte d'ylang-ylang
5 gouttes de limette

Ambiance de Noël

Tel une coupe chargée de friandises :
1 goutte de cannelle
1 goutte de tonka
5 gouttes de mandarine
1 goutte de citron

Nounours

Particulièrement apprécié des enfants

Parfum chaleureux et réconfortant :
2 gouttes de santal
1 goutte de benjoin de Siam
5 gouttes de mandarine

Contre les mauvaises odeurs

Pour assainir l'air

Efficace contre les odeurs de renfermé et le tabac :
2 gouttes de pin cembro (ou autre conifère)
3 gouttes de géranium rosat
5 gouttes de citron

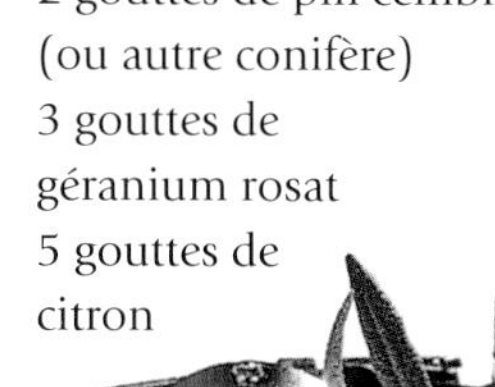

Halte au stress

Au travail, à l'école et à la maison

Que ce soit au travail ou à la maison, les huiles essentielles aident à conserver les idées claires, à se concentrer, à se détendre et à recharger les batteries. L'atmosphère est agréable et tout paraît plus facile. Les complexes ci-après peuvent également aider les enfants en cas de difficultés de concentration et de problèmes scolaires. Si vous êtes enseignant, n'hésitez pas à vous servir d'un brûle-parfum dans votre classe !

Réveil difficile

Se réveiller du bon pied

Si vous vous sentez fatigué au réveil ou si le stress qui vous attend au travail vous retire toute envie de vous lever :

- Placez une fiole de romarin sur votre table de nuit et respirez son contenu lorsque le réveil sonne. Cela vous aidera à ouvrir les yeux…
- Nettoyez-vous le visage avec un gant imprégné d'eau froide sur lequel vous aurez versé 1 c. à soupe d'hydrolat de romarin.
- Lavez-vous avec un complexe qui vous aidera à vous mettre en route, spécialement si vous souffrez d'hypotension artérielle :

100 ml de savon liquide neutre
10 gouttes de romarin
7 gouttes de limette

Des parfums pour l'âme et pour l'esprit

Contre le stress ou la torpeur, ce son les parfums épicés qui sont les plus efficaces

Concentration et créativité

Lorsque l'on a l'esprit vagabond ou que l'on a du mal à suivre le fil d'une conversation :
2 gouttes de cyprès
1 goutte de romarin
3 gouttes de pamplemousse
2 gouttes de lemongrass
ou
5 gouttes de limette
5 gouttes de romarin
1 goutte de menthe poivrée (ou 5 gouttes de cyprès)
▶ À verser dans la coupelle du brûle-parfum (page 31).

Rester calme

Si vous avez tendance à vous énerver ou lorsque tout menace de s'effondrer :
3 gouttes de cèdre
3 gouttes de lavande
2 gouttes de géranium rosat
4 gouttes de petitgrain
▶ À verser dans la coupelle du brûle-parfum.

Relaxation

Joie et bonne humeur

En cas d'ambiance tendue, y compris au bureau :
5 gouttes de pamplemousse
3 gouttes de bergamote
2 gouttes de lavande
2 gouttes de cyprès
▶ À verser dans la coupelle du brûle-parfum

Calumet de la paix

Lorsque la tension est telle, que toute communication paraît impossible :
5 gouttes de cèdre
3 gouttes de lavande
3 gouttes de santal
3 gouttes de pamplemousse
1 goutte d'ylang-ylang
▶ À verser dans la coupelle du brûle-parfum.

Le diable au corps

Pour les enfants agités ou hyperactifs :
2 gouttes de santal
1 goutte de sauge sclarée
4 gouttes de bergamote
2 gouttes de mandarine
▶ À verser dans la coupelle du brûle-parfum (page 31) *ou*
▶ à mélanger dans 50 ml de support huileux pour se masser le ventre ou les pieds (page 36/80).

Angoisse des examens

Pour se calmer et se détendre rapidement, garder les idées claires et avoir davantage confiance en soi :

▶ Versez 1 ou 2 gouttes d'angélique, de bergamote ou de lavande sur un mouchoir (page 32).

HS

Pour se détendre

Lorsque le travail prend le pas sur la vie privée et que la pression devient insupportable, l'huile suivante aide à se décrisper et à prendre du recul :

50 ml de support huileux
5 gouttes de cèdre
2 gouttes d'angélique
5 gouttes de sauge sclarée
3 gouttes de lavande
7 gouttes de bergamote

ou

50 ml de support huileux
3 gouttes de vétiver
3 gouttes d'ylang-ylang
4 gouttes de géranium rosat
7 gouttes de bergamote

▶ Servez-vous régulièrement de cette huile pour vous masser le ventre (page 36).

Chute de tension

Si vous souffrez d'hypertension artérielle (à faire diagnostiquer par un médecin !) et que le stress y est pour quelque chose, vous pouvez utiliser cette huile de massage en guise de complément thérapeutique (en accord avec votre médecin) :

50 ml de support huileux
5 gouttes de cèdre
2 gouttes de sauge sclarée
2 gouttes de rose de Damas
7 gouttes de lavande

▶ Frictionnez-vous matin et soir tout le corps ou bien seulement le torse et les bras.

Repartir

Si vous rentrez le soir chez vous complètement lessivé et que vous avez quelque chose de prévu pour la soirée, ce parfum vous aidera à repartir :

3 gouttes de romarin
3 gouttes de gingembre
3 gouttes de genièvre
1 goutte de menthe

▶ À verser dans la coupelle du brûle-parfum (page 31) *ou*

▶ à mélanger dans 50 ml d'huile d'amande douce pour se masser les oreilles (page 35) *ou*

▶ à verser dans l'eau du bain mélangé à du miel, du lait entier ou de la crème (page 33).

Du sommeil du juste

La vraie relaxation

Le complexe suivant vous aidera à ne pas vous laisser envahir par le stress et les soucis, à dormir d'un sommeil réparateur et à faire de beaux rêves.

Si votre enfant est trop agité pour s'endormir, vous pouvez le lui administrer sous la forme d'un massage doux pendant 5 à 10 minutes afin de le calmer. Ce

moment de tendresse vous fera du bien à tous les deux !
5 gouttes de cèdre
1 goutte de rose de Damas
7 gouttes de lavande
(Les enfants apprécient souvent le parfum encore davantage lorsqu'on y ajoute 1 goutte de néroli ou 3 gouttes de petitgrain).

Sommeil réparateur

Le soir avant de vous coucher :
▶ versez les huiles dans la coupelle du brûle-parfum (page 31) *ou*
▶ versez-les dans l'eau du bain mélangées à du miel, du lait entier ou de la crème (page 33) *ou*
▶ mélangez-les à 50 ml de support huileux pour un massage du ventre ou des oreilles ou une friction du dos ou des pieds (pages 70 et 80).
▶ Autre recette pour le brûle-parfum :
1 goutte de santal
1 goutte de jasmin
4 gouttes de bergamote

Oreiller parfumé

Idéal lorsqu'on voyage

Lorsque vous êtes en déplacement ou à l'hôpital, vous pouvez facilement faire « vôtre » un lit étranger afin de vous sentir davantage comme chez vous et de vous endormir plus facilement :
1 goutte de cèdre
1 goutte de rose de Damas
1 goutte de lavande
▶ Versez les huiles dans le creux de votre main et étalez-les sur l'oreiller.
▶ En cas de stress, versez-les sur un mouchoir pour vous détendre et conserver votre calme.

Chasser le blues

Certaines huiles essentielles ont une action stimulante sur le psychisme. Les complexes suivants aident à surmonter le manque d'assurance et les angoisses. Ils peuvent donc s'avérer très utiles lorsqu'on se trouve dans un environnement inhabituel ou face à une situation difficile, comme par exemple lors d'une hospitalisation, des premiers jours à la maison de retraite ou d'un voyage.

Très utiles en cas de difficultés psychiques

▶ Choisissez l'une des huiles corporelles suivantes et servez-vous-en régulièrement pour vous masser le ventre ou les pieds (pages 36 et 80) :

Fort comme un chêne

Lorsque vous vous sentez un peu patraque et que vous avez besoin de vous ressaisir :
50 ml de support huileux
3 gouttes de cèdre
5 gouttes de cyprès
5 gouttes de géranium rosat
5 gouttes de citron
2 gouttes de litsée

J'assure

Si vous êtes facilement angoissé, que vous baissez les bras à la

moindre difficulté et que vous manquez de confiance en vous :
50 ml de support huileux
7 gouttes de bois de rose
7 gouttes d'angélique
4 gouttes de néroli
6 gouttes de bergamote

Don't worry, be happy

Si vous êtes très sensible et que vous êtes souvent assailli par les soucis et les angoisses, ce complexe vous aidera à prendre les choses plus à la légère :
2 gouttes de santal
1 goutte de ciste
2 pipettes de mimosa
2 gouttes de pamplemousse
2 gouttes de mandarine
▶ À mélanger à 50 ml de support huileux (page 37) pour obtenir une huile corporelle *ou*
▶ à 10 ml d'huile de jojoba pour obtenir un parfum à porter.

Un rayon de soleil

Très utile en cas de petite déprime, y compris contre la dépression saisonnière, lorsque l'arrivée du mauvais temps et les jours qui raccourcissent vous mettent un coup au moral :

En cas de déprime

▶ Aide d'urgence : 1 ou 2 gouttes d'angélique ou de bergamote sur un mouchoir (page 32).
▶ Dans un brûle-parfum, l'eau du bain ou une huile de massage (pages 31, 33 et 34) :
1 goutte d'angélique
2 gouttes de géranium rosat
3 gouttes de lavande
5 gouttes de bergamote
À mélanger à un peu de miel, de lait entier ou de crème pour mettre dans l'eau du bain ou à 50 ml de support huileux pour obtenir une huile corporelle.

Ce n'est qu'un au revoir

Un complexe qui donne de la force et du courage lorsque le moment est venu de faire ses adieux.
Les enfants souffrent souvent beaucoup de devoir se séparer de leur mère, même si ce n'est que pour quelques heures, lorsqu'ils rentrent à la maternelle, ou bien de leurs camarades de classe lorsqu'il faut déménager. Ce désarroi se traduit souvent par des maux de ventre (voir aussi page 72) ou des troubles du sommeil qu'il vous sera facile de soulager au moyen de gestes tendre et d'huiles essentielles.
5 gouttes de cèdre
1 goutte de rose de Damas (ou de rose centfeuilles)
3 gouttes de lavande

Les huiles essentielles ont un effet positif sur les idées noires, la tristesse et le manque de ressort, caractéristiques de la dépression.
Cependant, si les symptômes ne s'améliorent pas rapidement et continuent à vous gâcher l'existence, il faut impérativement consulter un médecin !

Si vous n'avez pas le moral, prenez soin de vous et entourez-vous de parfums

2 gouttes de pamplemousse (ou autre agrume)
▶ À verser dans la coupelle du brûle-parfum (page 31) *ou*
▶ à mélanger à un peu de miel, de lait entier ou de crème pour mettre dans l'eau du bain (page 33)
ou
▶ dans 50 ml de support huileux pour le massage du ventre ou des pieds (pages 36 et 80).

Courage !

En cas de mélancolie et de soucis, ce complexe peut aussi vous aider :

1 goutte de basilic
1 goutte de rose de Damas
1 goutte de jasmin
5 gouttes de pamplemousse
▶ Mêmes applications que pour le complexe précédent.

S'aimer un peu

Apprendre à s'accepter

Ces deux complexes aident à mieux s'accepter et à prendre soin de soi comme il se doit. Ils donnent du courage pour affronter les vicissitudes de la vie, ainsi que le sentiment d'être davantage en prise avec le réel et ils apportent une plus grande stabilité intérieure. Grâce à eux, il vous sera plus facile d'exprimer vos sentiments.

50 ml de support huileux
2 gouttes de benjoin de Siam
4 gouttes de santal
1 goutte de jasmin
6 gouttes de mandarine
ou
50 ml de support huileux
1 goutte de vétiver
1 goutte de jasmin
3 gouttes d'ylang-ylang
7 gouttes de pamplemousse (ou de bergamote)

▶ Massez-vous chaque jour le ventre ou les pieds pendant plusieurs minutes (pages 36 et 80).
▶ Pour un bain bienfaisant, mélangez les huiles essentielles de la recette avec un peu de miel, de lait entier ou de crème (page 33).

Moments de volupté

Contact érotique

Vous avez envie d'érotisme et de sensualité ? Vous voulez vraiment faire plaisir à votre partenaire et qu'il vous le rende bien ? Vous voulez faire l'amour dans les règles de l'art ? Ou bien le sexe au sein de votre couple n'est plus ce qu'il était et vous aimeriez ranimer un peu la flamme ?
Les huiles essentielles ne sont pas vraiment aphrodisiaques, mais elles peuvent éveiller ou attiser des désirs érotiques, produire un effet relaxant et inspirant, donner l'envie d'aller plus loin…

Célébrer l'intime

Il est important, surtout lorsqu'on veut raviver des désirs anciens, de prendre tout son temps et de passer régulièrement une soirée en tête-à-tête entouré de parfums envoûtants.
Choisissez de préférence vos huiles ensemble, de manière à ce qu'elles vous plaisent à tous les deux. Vous pouvez également couvrir vos abat-jour de tissu rouge (couleur érotisante !) et mettre votre musique préférée. Il ne vous restera plus alors qu'à vous laisser transporter par le parfum, à prendre ensemble un bain activant et à procéder ensuite à un massage érotique au moyen d'huiles parfumées. Procédez comme vous le sentez, sans rechercher à tout prix les zones érogènes… Rien n'est en effet plus voluptueux et ne rapproche davantage qu'un contact tendre et prolongé.

Contact érotique

Erotic Touch

Complexes de base (page 30) :
voluptueux, activants, stimulants :
5 gouttes de vétiver
3 gouttes de coriandre
1 goutte de cardamome
3 gouttes de jasmin
6 gouttes d'ylang-ylang
10 gouttes de pamplemousse
ou
3 gouttes de tonka
4 gouttes de cannelle
7 gouttes de poivre noir
5 gouttes de coriandre
2 gouttes de cumin officinal
5 gouttes de pamplemousse
ou
6 gouttes de santal
2 gouttes de benjoin de Siam
1 goutte de rose de Damas (ou de jasmin)
2 gouttes d'ylang-ylang
8 gouttes de limette

▶ Verser 3 gouttes de complexe de base dans la coupelle du brûle-parfum
ou
▶ mélanger jusqu'à 5 gouttes dans un peu de crème ou de miel et verser dans l'eau du bain (page 33)
ou
▶ mélanger 12 gouttes dans 50 ml de support huileux pour obtenir une huile de massage.

Pour les femmes

Se sentir mieux pendant ses règles

Se masser le ventre plutôt que de prendre des comprimés

Très souvent, le syndrome prémenstruel (troubles psychiques et psychologiques précédant les règles) et les douleurs menstruelles peuvent être soulagés par un massage doux du ventre aux huiles essentielles. Les antalgiques deviennent alors superflus. De la même manière, il est également possible de régulariser un cycle perturbé.

L'effet des huiles essentielles a ici beaucoup à voir avec leur action sur le psychisme, car ces troubles sont étroitement liés à ce qui se passe dans la tête. On apprend aujourd'hui encore à la plupart des adolescentes que les règles sont quelque chose de désagréable et qu'il est normal que cela fasse mal. Or, souvent, les dérèglements et les spasmes sont tout simplement dus à une crispation psychique. Aussi, pour ne pas souffrir et rester de bonne humeur, il peut être très utile de ne pas considérer les saignements comme un désagrément, voire comme une souillure, mais plutôt comme un phénomène naturel inhérent à la féminité. Les massages aux huiles essentielles aident à aller dans ce sens.

Accepter les faits

Mes complexes sont antispasmodiques, analgésiques et légèrement euphorisants. Choisissez celui qui vous convient le mieux.

Aide globale

Bienfait pour le ventre
70 ml d'huile de millepertuis
30 ml d'huile de noix de macadamia
1 goutte d'angélique
6 gouttes de bergamote
3 gouttes de bois de rose
2 gouttes d'ylang-ylang
4 gouttes de sauge sclarée
ou
100 ml d'huile d'amande douce
1 goutte de rose de Damas
3 gouttes de bois de rose
1 goutte de cumin officinal
1 goutte d'ylang-ylang
2 gouttes de pamplemousse
ou
70 ml d'huile d'amande douce
30 ml d'huile de millepertuis
1 goutte de jasmin
2 gouttes de sauge sclarée

3 gouttes d'ylang-ylang
5 gouttes de pamplemousse

▶ Massez-vous délicatement le ventre et la région sacrée (page 36) matin et soir avant et pendant les règles.

Bien vivre sa grossesse

Bien-être pour la mère et l'enfant

Durant la grossesse, il est particulièrement important que la future mère veille à son bien-être. Outre le fait que cela permet d'apprécier cette période unique à sa juste valeur, cela retentit aussi positivement sur l'enfant à naître. Les huiles essentielles vous permettront de garder le moral tout du long et de remédier de façon naturelle et globale aux petits troubles physiques et psychiques susceptibles de survenir. Mais que cela ne vous empêche bien sûr pas de passer tous les examens préventifs.

Huiles recommandées

Info : tant qu'elles sont administrées en usage externe et selon le dosage indiqué, aucune des huiles recommandées dans cet ouvrage ne présente un quelconque danger pour la femme enceinte. Si tout d'un coup certain parfums vous indisposent, c'est que votre perception olfactive est aiguisée. Des études ont montré qu'il s'agit là d'un mécanisme naturel de protection du corps. Aussi n'hésitez pas à vous en remettre à votre instinct.

Le nez est plus sensible

Tout simplement bien

▶ Parmi toutes les applications recommandées dans cet ouvrage, choisissez maintenant vos parfums à diffuser, vos huiles pour le corps et vos bains parfumés afin de vous sentir tout simplement bien.

Contre les nausées

Si, comme beaucoup de femmes enceintes, vous souffrez de nausées durant les premiers mois de grossesse :

Huiles « anti-nausées »

Aide d'urgence

▶ Versez 1 goutte (pas plus) d'huile de menthe poivrée sur le dos de votre main, léchez-la et conservez-la quelques minutes en bouche.

ou

▶ Versez sur un mouchoir 1 ou 2 gouttes d'essence d'agrume de votre choix (citron, orange, mandarine, pamplemousse, limette, bergamote ou petitgrain) et respirez. La fraîcheur qui s'en dégage diminue la nausée et euphorise légèrement.

Les parfums agréables vous font du bien – et votre bébé le sent

Complexe « anti-nausées »

Complexe de base :

15 gouttes de néroli (ou de bergamote)
30 gouttes de pamplemousse (ou autre agrume)
8 gouttes de santal
8 gouttes de romarin

▶ Versez 3 à 5 gouttes de ce mélange dans la coupelle du brûle-parfum *ou*
▶ mélangez 5 à 10 gouttes à un peu de miel, de lait entier ou de crème et mettez dans l'eau du bain (lisez attentivement les recommandations de la page 33) *ou*
▶ mélangez 10 gouttes dans 50 ml d'huile d'amande douce afin de vous frictionner les bras et les jambes.

Soins cutanés

Pour l'élasticité de la peau

Les vergetures sont des petites stries qui apparaissent sur la peau en raison de l'étirement extrême subi durant la grossesse. Elles s'estompent, certes, au fil du temps, mais restent toujours visibles. En stimulant l'irrigation et en renforçant le tissu conjonctif par des massages réguliers aux huiles essentielles, vous aurez de grandes chances d'être épargnée, à condition bien sûr de vous y prendre suffisamment tôt. À cela s'ajoute un effet positif sur votre bien-être et, indirectement, sur celui de votre enfant !

Stimulant et traitant

100 ml de support huileux
2 gouttes de néroli
4 gouttes de lavande
1 goutte de rose de Damas ou de bois de rose
3 gouttes de cèdre
ou, si vous ne supportez pas le parfum de la lavande :
100 ml de support huileux
1 goutte de néroli
6 gouttes de limette
3 gouttes de santal

▶ Frictionnez-vous délicatement, matin et soir, le ventre, les fesses et les cuisses (page 82).
▶ Si le parfum de l'un de ces deux complexes vous plaît, rien ne vous empêche d'utiliser les huiles essen-

tielles dans les mêmes proportions pour mettre dans le brûle-parfum (seulement 3 gouttes de limette).

Accouchement en douceur

Détente physique et psychique

De plus en plus de sages-femmes et d'obstétriciens utilisent les huiles essentielles pour préparer à l'accouchement, car elles ont non seulement un effet décontractant et antalgique, mais calment également l'esprit et apaisent les angoisses. Par ailleurs, les parfums et le fait de pouvoir aider la future maman en lui massant le ventre font aussi du bien au père.

Attention : voyez suffisamment tôt avec votre sage-femme si elle est favorable à l'aromathérapie, et avec la maternité si l'utilisation d'huiles essentielles est autorisée au sein de l'établissement.

Créer une atmosphère

Bienfaisant, relaxant et légèrement euphorisant :
1 goutte de rose centfeuilles
1 goutte de jasmin
3 gouttes de bergamote
1 goutte de vétiver

▶ À verser dans la coupelle du brûle-parfum. Emportez si possible un flacon de réserve (page 31) et un diffuseur électrique à la maternité.

Automassage apaisant

Un massage doux du ventre (dans le sens des aiguilles d'une montre) et de la région lombaire soulage beaucoup de femmes durant les contractions et les moments de répit :
50 ml de support huileux
2 gouttes de néroli
1 goutte de rose de Damas (ou de jasmin)
7 gouttes de sauge sclarée
5 gouttes de lavande
5 gouttes de cèdre

Caresses parfumées pour bébé

Un massage tout simple

Rien de plus simple que d'enduire le corps de bébé d'onguents parfumés - alors pourquoi s'en priver puisque les nouveau-nés adorent être massés.

Baume-bébé

50 ml d'huile de noix macadamia
1 goutte de rose de Damas
1 goutte de palmarosa
1 goutte de bois de rose ou de santal
ou
50 ml d'huile de noix de macadamia
1 goutte de néroli
1 goutte de mandarine
2 gouttes de santal
▶ Frictionnez tous le corps de votre enfant avec le baume – après le bain

ou, s'il a besoin d'être calmé, juste avant d'aller au lit.
Par ailleurs : si votre bébé a des gaz, l'huile des 4 vents peut s'avérer utile (page 71).

La ménopause

Aide en cas de troubles

Lorsque les règles s'arrêtent, entre 40 et 50 ans, les changements hormonaux s'accompagnent de troubles spécifiques, tels que bouffées de chaleur, sudation excessive, sautes d'humeurs ou dépression. Beaucoup de femmes se sentent soudain vieilles et indésirables. Or les huiles essentielles peuvent renforcer le sentiment de féminité, relever l'humeur et, par une certaine similitude avec les hormones, influer sur la production d'œstrogènes. Effet secondaire intéressant : elles ont aussi la propriété de susciter le désir chez le partenaire.

Complexe bien-être

Stimulant hormonal, euphorisant léger ; également excellent en cas dessèchement et de sensibilité de la muqueuse vaginale :
100 ml de support huileux
6 gouttes de limette
4 gouttes de géranium rosat
4 gouttes d'ylang-ylang
4 gouttes de sauge sclarée
2 gouttes de lavande
4 gouttes de cèdre

ou

utile en cas de sautes d'humeur :
100 ml d'huile d'amande douce
1 goutte de jasmin
2 gouttes de néroli
4 gouttes de petitgrain
3 gouttes de bois de rose
4 gouttes d'ylang-ylang

Choisissez « votre » complexe

- Frictionnez-vous doucement le ventre et la région lombaire (page 36) avec l'une de ces deux huiles, matin et soir, sur une période prolongée.
- Pour les soins de la muqueuse vaginale appliquez le complexe à base de limette avec des doigts propres (voir aussi page 83).

Quelque chose d'exquis

Parfum particulier, qui fortifie, détend et relève l'humeur :
5 gouttes de bergamote
1 goutte de néroli
1 goutte de rose centfeuilles
2 gouttes de vétiver

- Versez les huiles dans la coupelle du brûle-parfum (page 31) ou
- mélangez-les à un peu de miel, de lait entier ou de crème et mettez dans l'eau du bain (page 33) ou
- mélangez-les à 50 ml de support huileux pour obtenir une huile corporelle.

Lorsque le corps dit stop !

Encore grippé...

Souvent il s'agit plutôt d'un refroidissement que d'une véritable grippe, mais c'est quand même désagréable. Or ce n'est pas par hasard si cela nous prend souvent en pleine période de stress, lorsque notre système immunitaire se trouve affaibli et que notre corps réclame instamment du repos (page 50). Les huiles essentielles peuvent nous aider à soulager ce genre de troubles.

Les limites de l'automédication

Attention : consultez immédiatement un médecin en cas de :

- forte fièvre, douleurs dans les membres et céphalées - signes d'une véritable grippe ;
- tension dans la tête ou migraine frontale - signes d'inflammation des sinus ;
- fièvre et douleurs respiratoires - signes de bronchite ;
- fièvre, forts maux de gorge et difficultés à déglutir - signes d'amygdalite.

Les huiles essentielles pourront alors être utilisées comme complément thérapeutique.

Prévention en période de grippe

... Lorsque tout le monde autour de vous semble déjà atteint. Ces complexes conviennent également aux enfants.

Défenses immunitaires

Comment se protéger des refroidissements

Complexe de base (page 30) :
20 gouttes d'angélique
12 gouttes de citron
8 gouttes de petitgrain
4 gouttes de sauge sclarée
ou
30 gouttes de citron
20 gouttes de lavande
3 gouttes de thym

- Aide d'urgence : versez sur un mouchoir une ou 2 gouttes de l'un de ces complexes et inhalez régulièrement ;
- versez 4 ou 5 gouttes dans la coupelle du brûle-parfum (page 31) ;
- mélangez 4 ou 5 gouttes à un peu de miel, de lait entier ou de crème et mettez dans l'eau du bain (page 33).

Aide d'urgence en début de refroidissement

Parade de dernière minute

Versez une goutte de lavande, une goutte de tea-tree et une goutte de cajeput dans le creux de votre main et servez-vous-en pour vous frictionner la plante des pieds. Procéder ainsi trois fois par jour (même chose pour les enfants).

En cas de maux de gorge

Les maux de gorge constituent souvent le signe avant-coureur d'un refroidissement. Aussi pouvez-vous essayer l'aide d'urgence (voir ci-dessus) s'il est encore temps ou bien le gargarisme suivant pour soulager la douleur :

Gargarisme

Soulager la douleur

100 ml d'hydrolat (tea-tree, sauge ou menthe poivrée)
5 gouttes de lavande
2 gouttes de bergamote
3 gouttes de citron
1 goutte de thym
5 gouttes de menthe poivrée
Pour les enfants :
100 ml d'hydrolat (voir ci-dessus)
7 gouttes de cajeput
5 gouttes de tea-tree
7 gouttes de citron
▶ Versez une cuiller à café dans un demi-verre d'eau tiède, mélangez et gargarisez-vous pendant une ou deux minutes, puis recrachez. Procéder ainsi plusieurs fois par jour.

En cas de rhume et de toux

Aide d'urgence

Pour déboucher le nez :

Respirer librement

▶ Versez une goutte de menthe poivrée (pas plus !) sur le dos de la main et léchez. Ne pas donner aux enfants de mois de 6 ans !
▶ Pour la nuit : versez une ou deux gouttes de menthe poivrée, de lavande ou de cajeput sur votre oreiller (page 32). La menthe poivrée ne convient pas aux enfants de moins de 6 ans !

Retrouver une respiration normale

Huile pour le nez qui aide à respirer et soigne en plus la peau abîmée par le mouchage ; convient également aux plus petits :
20 ml d'huile de jojoba et
10 ml d'huile d'aloès
3 gouttes de cajeput
1 goutte de tea-tree
1 goutte d'angélique
2 gouttes de lavande

Un flacon pour chaque nez

▶ Versez tous les ingrédients dans un flacon de 30 ml, mélangez et reversez le complexe dans des petites fioles de 5 ml. Vous pourrez ainsi en avoir toujours sur vous, et chaque membre de la famille pourra posséder le sien. L'action fortement antiseptique des huiles essentielles permet en outre d'assainir le nez jusqu'au prochain rhume.

- Frictionnez-vous plusieurs fois par jour l'intérieur et le bord des narines avec un coton-tige ou avec un doigt propre.
- De la recette, vous pouvez aussi retenir uniquement les huiles essentielles et les verser dans la coupelle du brûle-parfum (page 31).

Rhume carabiné

Si vous vous êtes très enrhumé, que vous toussez beaucoup et que vous avez du mal à respirer, les *complexes de base* (page 30) suivant vous soulageront. Ils sont, en outre, fébrifuges et conviennent aux enfants :

Efficace contre la toux, le rhume et la fièvre

10 gouttes de cèdre
10 gouttes de cajeput
10 gouttes de lavande
10 gouttes de sapin de Douglas (ou autre conifère)
10 gouttes de tea-tree
ou
5 gouttes de cèdre
2 gouttes d'angélique
3 gouttes de sauge sclarée
5 gouttes de basilic
8 gouttes de lavande
6 gouttes de citron

- Versez 5 à 7 gouttes de l'un de ces deux complexes dans la coupelle du brûle-parfum (page 31) ; cela agit aussi beaucoup durant la nuit.

- Pour l'inhalation (page 34), versez une ou 2 gouttes dans de l'eau bouillante.
- Pour le bain (page 33), mélangez 5 à 7 gouttes à un peu de lait entier, de miel ou de crème et mettez dans l'eau.
- Pour le massage du torse, prenez 50 ml de support huileux et versez-y 7 gouttes pour un enfant et 15 gouttes pour un adulte ; en cas de toux, frictionnez la poitrine et le dos plusieurs fois par jour, puis couvrez chaudement.
- Pour le nez : versez 3 ou 4 gouttes de complexe dans 5 ml d'huile de jojoba.

En inhalation, l'action des huiles essentielles est particulièrement intense

En cas d'otalgie

Chercher la cause !

Important : toute douleur au niveau de l'oreille doit donner lieu à un examen médical !

Aide d'urgence

En la prenant au tout début, vous pouvez facilement arrêter une inflammation de l'oreille moyenne, la guérir et soulager les douleurs :

▶ Versez une ou 2 gouttes de tea-tree ou de lavande sur un morceau d'ouate et enfoncez délicatement celui-ci dans le conduit auditif externe. Changez-le matin et soir.

Attention : ne versez jamais d'huile essentielle directement dans le conduit auditif, car cela risquerait de perforer le tympan !

Faire baisser la fièvre

La fièvre étant une réaction de défense de l'organisme, il importe de ne pas la réprimer immédiatement. Si toutefois elle s'élève au-dessus de 39 °C, il y a risque de surmenage du système cardio-vasculaire. Il faut alors essayer de la faire baisser par des moyens doux.

Important : lisez attentivement les recommandations de la page 65 !

Enveloppements froids

Huiles fébrifuges

Pour vos enveloppements fébrifuges, choisissez parmi les huiles essentielles suivantes : bergamote, cajeput, lavande, menthe poivrée, tea-tree et citron.

Vous pouvez aussi recourir à l'un des complexes antitussifs de la page 65.

Enveloppement des mollets

▶ Enveloppement des mollets : versez 3 à 5 gouttes d'huile essentielle dans un litre d'eau froide (17 °C).

À éviter en cas de pieds froids ou de problèmes circulatoires ! À la place, vous pouvez procéder à un enveloppement du torse, qui a aussi l'avantage de calmer la toux :

- ou enveloppement torse

▶ Enveloppement du torse : versez 3 à 5 gouttes d'huile essentielle dans un litre d'eau froide (2 °C de moins que la température du corps).

Et voici comment procéder à l'enveloppement :

Trempez dans l'eau un linge en coton plié plusieurs fois, essorez-le et enveloppez chacun des mollets avec, ou posez-le sur le torse, puis fixez un grand morceau de tissu en flanelle par-dessus. Évitez le plastique et le caoutchouc !

Pour finir, couvrez chaudement le malade jusqu'aux épaules.

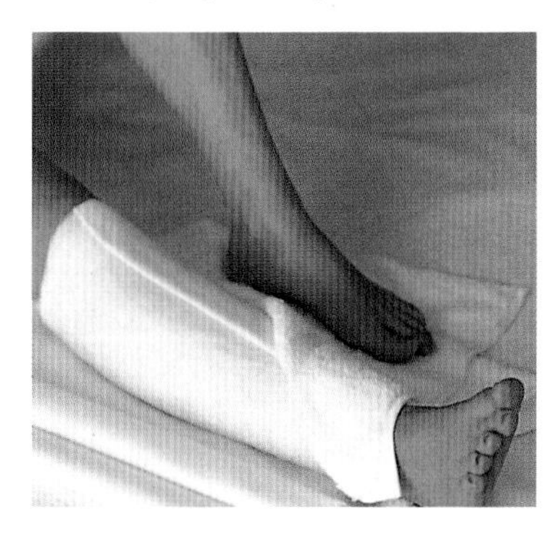

Trois pièces de tissu sont nécessaires pour un enveloppement

Renouveler enveloppement

Renouvelez l'enveloppement des mollets lorsque le linge qui se trouve en contact avec la peau commence à chauffer et recommencez jusqu'à ce que la température du corps soit redescendue à la normale.
En ce qui concerne l'enveloppement du torse, il est préférable de le laisser toute la nuit.

La tête dans un étau

Les maux de tête peuvent avoir différentes causes, dont le plus souvent un surmenage psychique ou physique. Dans ce cas, les huiles essentielles peuvent s'avérer très utiles en raison de leurs propriétés relaxantes et fortifiantes.

Aide d'urgence

▶ Versez une ou 2 gouttes d'angélique ou de basilic sur un mouchoir (convient également aux enfants).
▶ En cas de céphalées de tension, versez une ou 2 gouttes de menthe poivrée sur un mouchoir et frictionnez-vous la nuque et les tempes. Comme il a été prouvé scientifiquement, cette méthode peut même remplacer avantageusement les antalgiques. Elle est également très efficace en cas de sensibilité aux variations atmosphériques et de « gueule de bois ».
Attention : ne convient pas aux enfants !

« Lavage de cerveau »

Détend et relève l'humeur

Lotion capillaire pour un massage décontractant de la tête :
100 ml d'hydrolat (de rose, de lavande, de fleur d'oranger ou de mélisse)
5 gouttes de lavande
3 gouttes de bergamote
3 gouttes de sauge sclarée
▶ Répartissez la lotion sur la tête au moyen d'une pipette ou d'un vaporisateur, massez-vous délicatement le cuir chevelu avec les deux mains, comme si vous vous faisiez un shampooing, puis passez vos doigts dans les cheveux en tirant légèrement dessus.

Contre les tracas

Relaxant et légèrement euphorisant ; convient aussi aux enfants :
5 gouttes de sauge sclarée
2 gouttes de bergamote
1 goutte d'angélique
ou
1 goutte d'angélique
2 gouttes de santal
1 goutte de néroli
2 gouttes de limette
▶ À verser dans le brûle-parfum ou, mélangé à un peu de miel, de lait entier ou de crème, dans l'eau du bain (page 33).
▶ Pour un massage relaxant, surtout en cas de céphalée de tension, versez les huiles dans 30 ml d'huile d'amande douce. Frictionnez-vous délicatement la nuque et les épaules. Un léger

Se frictionner la nuque avec une huile parfumée fait énormément de bien en cas de tensions.

massage du ventre s'avère souvent très utile, notamment chez les enfants (page 36).

Fatigue oculaire

Lorsque les yeux sont fatigués et rouges

Si vos yeux surmenés ont de plus en plus de mal à voir et que vous éprouvez parallèlement des maux de tête, les applications suivantes pourront vous aider, ainsi d'ailleurs qu'en cas de rhume des foins, lorsque les yeux démangent et coulent, ou de conjonctivite (en complément au traitement prescrit par le médecin) :

Baume pour les yeux

Pour faire des compresses rafraîchissantes :
Imbibez d'hydrolat de rose deux tampons d'ouate, exprimez le surplus et appliquez sur les yeux ; retirez les tampons lorsqu'ils ne produisent plus aucun effet rafraîchissant. Répétez l'opération plusieurs fois par jour si besoin est.

Décrispez-vous !

Lorsque nous sommes stressés, nous contractons continuellement nos muscles sans même nous en rendre compte. Cela provoque souvent des contractures douloureuses, notamment au niveau des épaules et du dos. Les applications suivantes sont très efficaces contre les contractions et les douleurs musculaires, que celles-ci soient consécutives au stress, au fait d'être resté debout ou assis trop longtemps ou bien à une séance de sport un peu trop intense. Elles apaisent aussi l'esprit.

Contre le mal de dos, les douleurs musculaires et les courbatures

Important : les douleurs dorsales survenant brusquement ou se pérennisant doivent impérativement faire

Consultez un médecin !

l'objet d'un examen médical ! Les huiles essentielles pourront alors être utilisées comme complément thérapeutique.

Détente musculaire et psychique

Pour un bain décontractant et apaisant :
4 gouttes de cajeput
4 gouttes de sauge sclarée ou de lavande
1 goutte de genièvre
1 goutte de gingembre
▶ À mélanger à un peu de miel, de lait entier ou de crème (page 33). Pour encore plus d'efficacité, prenez votre bain et frictionnez-vous ensuite avec une huile pour le corps.

Baume pour les muscles

Soulage les contractures

100 ml d'huile d'amande douce, de noix de macadamia ou de jojoba (ou 30 ml d'huile d'amande douce et 70 ml d'huile de millepertuis)
7 gouttes de cajeput
7 gouttes de sauge sclarée ou de lavande
3 gouttes de genièvre
2 gouttes de gingembre
▶ Massez-vous délicatement les zones douloureuses. En cas de mal de dos, il est naturellement préférable que vous vous fassiez masser par quelqu'un d'autre.
Si vous avez recours aux services d'un kinésithérapeute, voyez s'il accepte d'utiliser vos huiles.

Dur à digérer

Les huiles essentielles d'herbes ou d'épices sont très bénéfiques en cas de troubles digestifs. La première chose à faire est toutefois d'en rechercher les causes, qui sont le plus souvent d'ordre alimentaire ou psychologique. Beaucoup de gens ont l'appareil digestif très réactif aux problèmes émotionnels, dont on dit d'ailleurs qu'ils sont « difficiles à digérer ». La colère rentrée, par exemple, est souvent source d'une détérioration des fonctions gastro-intestinales.

Rechercher les causes

Pour remédier à cela, les huiles essentielles peuvent être utilisées comme épices en cuisine ou bien sous forme d'huiles de massage pour le ventre. Outre leur effet direct sur les fonctions digestives, elles ont également une action relaxante et fortifiante sur le psychisme qui influe sur le bien-être de manière général.

Ballonnements

L'huile des 4 vents

Adapté aussi bien aux adultes qu'aux enfants, ce complexe produit un effet carminatif et décontractant ; pour un bébé, une seule goutte de chacune des huiles doit être versée dans le support huileux :

Dégonfle aussi le ventre de bébé

50 ml d'huile de millepertuis
2 gouttes de fenouil doux

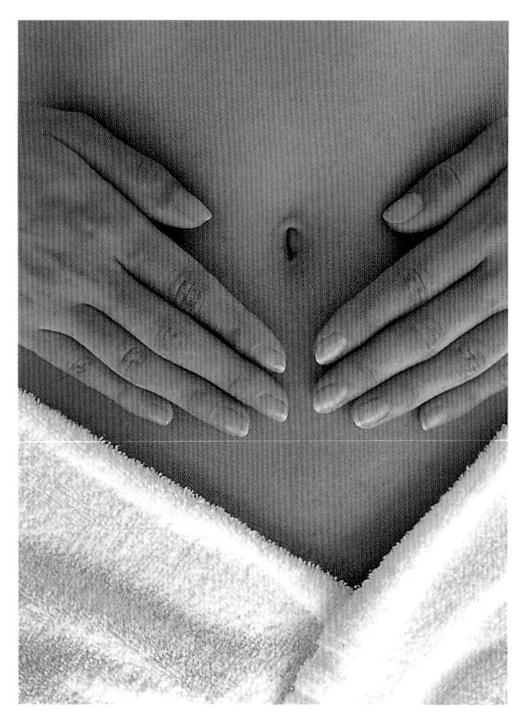

Lorsque le ventre ne va pas bien, il faut souvent chercher du côté de la tête

2 gouttes d'estragon
2 gouttes de coriandre
2 gouttes de cumin officinal

▶ Servez-vous de cette huile pour vous masser le ventre (page 36) dès l'apparition des premiers symptômes.

Conseil : en complément, vous pouvez aussi prendre une infusion non sucrée de fenouil, d'anis, de coriandre et de cumin (bio de préférence). Cette tisane est très efficace, notamment chez les bébés.

Pure détente

Huile carminative et particulièrement relaxante :

Estomac irrité et maux de ventre

50 ml d'huile de millepertuis
5 gouttes de sauge sclarée
3 gouttes d'estragon
5 gouttes de lavande

▶ Massez-vous délicatement le ventre (page 36) dès l'apparition des premiers symptômes.

▶ Vous pouvez aussi ne retenir de ce complexe que les huiles essentielles et les mettre dans l'eau du bain, mélangées à un peu de miel, de lait entier ou de crème (page 33).

Lorsque l'estomac s'insurge

Les maux d'estomac non spécifiques et les indispositions passagères sont généralement provoqués par l'angoisse ou le stress. Surtout chez les enfants, les maux de ventre sont souvent l'expression de problèmes psychiques. Aussi faut-il toujours les prendre au sérieux, même lorsque le médecin ne détecte rien d'anormal. De la sollicitude et un petit massage du ventre sont alors ce qu'il y a de plus efficace.

Aide d'urgence

▶ Versez une à 2 gouttes d'huile essentielle de basilic sur un mouchoir (page 32).

Bienfait pour le ventre

Complexe analgésique, relaxant et fortifiant pour un massage bienfai-

Analgésique, relaxant et fortifiant

sant ; pour un enfant, divisez la quantité de chacune des huiles essentielles par deux :
50 ml d'huile d'amande douce ou de millepertuis
2 gouttes de cèdre
2 gouttes de basilic
4 gouttes de lavande
4 gouttes de petitgrain
6 gouttes de bergamote
ou
50 ml de support huileux
4 gouttes de cèdre
2 gouttes d'angélique
4 gouttes de lavande
4 gouttes de sauge sclarée
8 gouttes de bergamote (ou 2 gouttes de néroli – ou, pour un enfant – 3 gouttes de mandarine)
ou
50 ml de support huileux
4 gouttes de cèdre (ou 1 goutte de vétiver : même effet, autre parfum)
1 goutte de rose de Damas
8 gouttes de lavande
4 gouttes de palmarosa
6 gouttes de litsée

▶ Servez-vous de l'huile de votre choix pour vous masser régulièrement le ventre (page 36)

Rechercher la cause

Important : si les douleurs abdominales persistent au-delà d'une journée, consultez un médecin afin qu'il en recherche la cause ! Une fois tout problème organique exclu, c'est à vous qu'il reviendra de savoir ce qui vous pèse à ce point, car aussi longtemps que vous n'aurez pas supprimé la cause, les symptômes réapparaîtront.

Un accident est si vite arrivé

Curatif et apaisant

Lorsqu'on est stressé, le couteau de cuisine a vite fait de déraper ou la main d'effleurer le fer à repasser brûlant. Les huiles essentielles sont alors d'un grand secours, non seulement en raison de leurs propriétés vulnéraires, mais aussi parce qu'elles calment et fortifient lorsque l'on se trouve sous le choc.

Chez le médecin !

Attention : en cas de blessure sévère ou inexpliquée ainsi que de plaie ou de brûlure étendues, il convient de consulter un médecin au plus vite après avoir prodigué les soins d'urgence !

Blessures

En cas de contusion, de saignement ou de plaie ouverte :
Tea-tree
ou lavande
ou menthe poivrée
(utilisez uniquement des huiles de première qualité, de préférence issues de l'agriculture biologique contrôlée ou de la cueillette sauvage !)

Tea-tree, lavande ou menthe poivrée

1 Versez immédiatement quelques gouttes non diluées sur la partie meurtrie. En cas de blessure étendue, appliquez un pansement stérile et consultez un médecin de toute urgence !

2 Sinon, appliquez des glaçons ou des compresses : pour un enveloppement froid, versez 2 ou 3 gouttes d'huile essentielle dans 1 litre d'eau et renouvelez les applications jusqu'à récession des symptômes.

Brûlures

Huile de lavande non diluée pour les brûlures

Les huiles essentielles n'étant pas grasses, rien ne s'oppose à ce qu'elles soient appliquées sur les brûlures ! À cet égard, l'huile de lavande ou de lavandin (page 42) constitue le meilleur remède que je connaisse.

Aide d'urgence

1 Retirez les vêtements, à moins qu'ils ne soient collés.

2 Refroidir immédiatement la peau par aspersion d'eau froide ou application de compresses froides.

3 Versez de l'huile essentielle de lavande ou de lavandin non diluée sur les parties touchées. Répétez l'opération plusieurs fois de suite.

- Si elle n'est pas plus étendue que la paume de la main et qu'une cloque se forme, vous pouvez continuer à soigner la brûlure par vous-même. Recouvrez-la régulièrement d'huile de lavande jusqu'à ce que la douleur ait complètement disparu.

Important

- En cas de brûlure plus étendue, couvrez la plaie d'une gaze stérile et consultez immédiatement un médecin !

Info : en cas de coup de soleil, faites plusieurs applications d'huile de lavande ou de tea-tree non diluée.

Petite trousse aromathérapeutique

En plus de vos huiles personnelles, veillez toujours à avoir en réserve les huiles essentielles suivantes (vous pouvez aussi les utiliser seules si vous n'avez qu'elles sous la main). En voyage, elles forment à elles seules une véritable trousse d'urgence :
Lavande : en cas de blessures, de brûlures, de coups de soleil, de céphalées, de troubles digestifs, de troubles du sommeil ou de déprime ;
Tea-tree : seul ou en association avec la lavande, en cas de blessure, de coups de soleil, de piqûres d'insectes, de démangeaisons cutanées, d'herpès labial, d'inflammation de la base de l'ongle, de mycose plantaire, de mal de dents ou de refroidissement ; éloigne les insectes ;
Cajeput : en cas de refroidissement, de douleurs musculaires ou de névralgies.

Baume pour la peau et les cheveux

Et pour l'âme

Délicieusement parfumés, les produits de soins à base d'huiles essentielles sont souvent très efficaces et permettent de se sentir mieux dans sa peau :

- Les huiles assainissent et régénèrent la peau tout en ayant un effet bénéfique sur le moral.
- Tous les ingrédients sont naturels et très bien tolérés, aussi bien par la peau que par l'environnement.

Prendre plaisir à faire sa toilette

- Important : ne vous enduisez pas « à la va vite », mais profitez plutôt de chaque application pour vous faire un petit massage. Cela ne durera pas beaucoup plus longtemps et sera incomparablement plus efficace.
- Détail essentiel : le fait d'être soigné et de sentir bon donne plus de confiance en soi.

Reflet fidèle

Peau et cheveux, reflets de notre santé

L'état de notre peau et de nos cheveux reflète très bien notre état de santé général. Les personnes qui dorment suffisamment, mangent équilibré et font régulièrement de l'exercice ont généralement la peau tendue et bien irriguée ainsi que les cheveux souples et brillants. Celles qui, en revanche, ne prennent pas soin d'elles, souffrent d'une maladie ou sont simplement déprimées ou stressées ont la peau blême et flasque et les cheveux ternes et cassants. Lorsqu'ils ne bénéficient pas de soins appropriés, la peau et les cheveux sont également sensibles aux agents externes, tels que gaz d'échappement, soleil, froid ou sécheresse de l'air.

Des soins adaptés

Activer les forces d'autoguérison

Si vous utilisez des soins à base d'huiles essentielles, vous n'avez pas besoin de produits spécialement adaptés à votre type de peau et de cheveux ou aux différents types d'agressions. Avant tout compensatrices et régénérantes, les huiles visent au rétablissement de l'équilibre naturel et à l'activation des forces d'autoguérison du corps. Si vous avez tendance aux allergies, lisez attentivement les recommandations de la page 27.

Pour le visage et le décolleté

Important : le nettoyage

Matin et soir

Se nettoyer consciencieusement le visage constitue le B.A.-BA de l'hygiène cutanée. Faites-le matin et soir avant l'application d'une crème. En cas d'impuretés ou d'acné, voyez les conseils de la page 78. Si votre peau est normale et résistante, vous pouvez utiliser un savon surgras ou une lotion nettoyante. Si, en revanche, elle est sensible, prenez davantage de précautions.

Lotions douces visage

Pour les peaux sensibles

Hydrolats (page 39) de rose, de fleur d'oranger, d'hamamélis, de lavande ou de tea-tree.

▶ Imbibez d'hydrolat un tampon d'ouate et nettoyez-vous le visage et le cou avec, matin et soir, en faisant de petits mouvements circulaires, sans frotter.

▶ Pour nettoyer plus à fond, appliquez au préalable une compresse chaude. Pour cela, plongez un gant de toilette dans de l'eau chaude, essorez-le, posez-le sur votre visage et laissez agir 5 minutes.

Important : les compresses chaudes sont à éviter en cas de couperose, sous peine d'aggravation des symptômes.

Huile nettoyante visage

Pour les peaux sèches

Pour les peaux matures avec tendance au dessèchement :

30 ml d'huile de noix de macadamia (d'amande douce ou de jojoba)
3 gouttes de santal
2 gouttes de bois de rose
2 gouttes de néroli
ou
30 ml de support huileux
5 gouttes de bois de rose
1 goutte de rose de Damas
3 gouttes de lavande

▶ Imbibez de lotion un tampon d'ouate et versez-y quelques gouttes de l'une de ces deux huiles, puis nettoyez-vous le visage et le cou en faisant de petits mouvements circulaires.

Soins parfumés

Après le nettoyage, vous pouvez vous appliquer une crème sur le visage et le décolleté.

Crèmes adaptées au type de peau

● Je vous propose deux recettes :
Si vous avez la peau relativement peu sensible ou ayant tendance à tirer, parce qu'elle est sèche, choisissez la crème de base 1 à la lanoline ; elle convient notamment très bien aux peaux mûres. Si, en revanche, votre peau présente facilement des impuretés (voir aussi page 78), qu'elle est plutôt grasse ou intolérante à la lanoline, optez plutôt pour la crème de base 2.

Ajoutez les huiles de votre choix

• Les huiles essentielles à mettre dans votre crème conviennent à tous les types de peau et ont toutes des vertus assainissantes, régénérantes et protectrices. Choisissez « votre » parfum. En cas de peau très sensible, qui se tend et s'enflamme rapidement, servez-vous du complexe rose-santal en crème 2, car son action est particulièrement apaisante et anti-inflammatoire.

Pour une peau soyeuse

Crème de base 1 pour peaux normales ou sèches :

30 ml d'huile de jojoba (d'amande douce ou de noix de macadamia)
10 g de lanoline anhydride/suint de mouton (1 c. à café pleine)
3 g de beurre de cacao
3 g de cire d'abeille

Crème de base 2 pour peaux grasses ou présentant des impuretés :

30 ml d'huile de jojoba (d'amande douce ou de noix de macadamia)
4 g de beurre de cacao
3 g de cire d'abeille

Ajoutez-y, selon les consignes de la page 78 :

40 ml d'hydrolat de rose
1 goutte de rose de Damas
ou
40 ml d'hydrolat de rose
1 goutte de santal
2 gouttes de bois de rose
1 goutte de rose de Damas

ou
40 ml d'hydrolat de fleur d'oranger
1 goutte de néroli
ou
40 ml d'hydrolat de fleur d'oranger
5 gouttes de lavande
2 gouttes de néroli
2 gouttes de palmarosa
ou
40 ml d'hydrolat de fleur d'oranger
4 gouttes de petitgrain
1 goutte de ciste
1 goutte de cèdre

Une crème parfumée pour le visage est un baume à la fois pour la peau et pour l'esprit

▶ Pour la fabrication de votre crème, il vous faut un thermomètre de laboratoire et 4 à 6 pots d'une contenance de 20 ou 30 ml (les petites quantités se conservent mieux), que vous désinfecterez avec de l'alcool à 90°.

Baume pour la peau et les cheveux

Vous trouverez tous les ingrédients en pharmacie ou en magasin bio.

1 Chauffez le support huileux dans une petite casserole en la plongeant dans une eau à 60 °C et versez-y la lanoline, le beurre de cacao et la cire d'abeille. Chauffez l'hydrolat également à 60 °C et ajoutez-le au support.

2 Mettez le pot dans de l'eau froide et mélangez tous les ingrédients au moyen d'un mixeur à main réglé sur le niveau le plus bas, jusqu'à obtention d'une masse crémeuse.

3 Une fois la crème presque complètement refroidie, ajoutez-y les huiles essentielles et remplissez les petits pots désinfectés.

Durée de conservation

La crème ainsi préparée peut se garder environ un an au réfrigérateur. Une fois le pot ouvert, utilisez-le dans le mois qui suit et évitez de l'exposer à la chaleur.

En cas d'acné

L'acné, qui touche beaucoup de jeune à l'âge de la puberté, peut avoir des causes hormonales, alimentaires ou psychiques. Aussi l'hygiène cutanée ne suffit-elle pas à résoudre le problème. Les traitements cosmétiques en application locale restant le plus souvent sans effets, l'expérience a montré que seule une prise en charge globale, qui tient compte de tous les cofacteurs, peut apporter des résultats satisfaisants. Prendre soin de son visage avec des produits à base d'huiles essentielles assainissantes et régénérantes constitue alors un complément thérapeutique idéal. Les applications suivantes conviennent parfaitement aux peaux grasses ou mixtes.

Important : traitement global

Nettoyer et désinfecter

Huiles anti-acné : tea-tree de préférence, mais aussi lavande ou menthe poivrée.

Huiles dermatologiques

- Désinfection : versez 3 gouttes d'huile anti-acné non diluée sur un tampon d'ouate humidifié et tapotez les comédons.
- Lavage : versez 3 à 6 gouttes d'huile anti-acné dans environ un litre d'eau tiède et aspergez-vous le visage avec.

Convient aussi aux peaux grasses ou mixtes

▶ Lotion nettoyante :
100 ml d'hydrolat d'hamamélis, de lavande ou de tea-tree
8 gouttes d'huile anti-acné

Utilisation : après le lavage (voir ci-dessus), imbibez de lotion un tampon d'ouate et nettoyez-vous le visage et le décolleté en faisant de petits mouvements circulaires.

Important : ne pressez pas vos comédons, sous peine de conserver des cicatrices ou des taches pigmentées !

Crème apaisante

▶ Vous pouvez vous servir de la crème de base 2 de la page 77 et y mettre un complexe à dominante rose ou lavande. Pour plus d'efficacité, remplacez l'huile de jojoba par de l'huile d'aloès, au calendula, à l'arnica ou au millepertuis en raison de leurs propriétés anti-inflammatoires.

▶ Crème particulièrement régénérante, désinfectante et rafraîchissante :
30 ml d'huile de millepertuis
4 g de beurre de cacao
3 g de cire d'abeille
40 ml d'hydrolat d'hamamélis
3 gouttes de tea-tree
2 gouttes de lavande
1 goutte de menthe poivrée
Pour la préparation, voyez page 78.

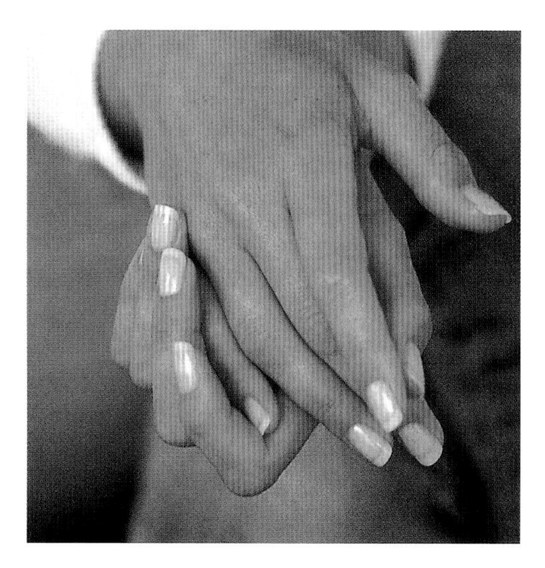

Des mains douces

Pour avoir de belles mains

La crème suivante permet de soigner les mains abîmées par les travaux ménagers :

Baume cutané
30 ml d'huile de jojoba, d'amande douce ou de noix de macadamia
10 g de lanoline anhydride
3 g de beurre de cacao
3 g de cire d'abeille
40 ml d'hydrolat de fleur d'oranger
2 gouttes de benjoin de Siam
1 goutte de néroli (de limette ou autre agrume)
▶ Pour la préparation, voyez page 78.
Enduisez-vous soigneusement les mains deux fois par jour.
▶ Cette crème convient également aux soins des pieds (page 80).

Des pieds soignés

La plupart d'entre nous négligent leurs pieds de façon impardonnable. S'enduire les jambes de crème, soit, mais les pieds.... Pourtant en prendre soin non seulement les embellirait, mais aurait à terme un effet bénéfique sur notre bien-être et notre état de santé général. Par la manipulation des zones réflexes, nous pouvons en effet influer sur le flux d'énergie qui parcourt tout notre corps.

Soigner le corps et l'esprit par le biais des pieds

Se masser les pieds avec des huiles essentielles est particulièrement agréable le soir avant d'aller se coucher. Pour se détendre, mieux vaut en effet jouer avec ses pieds qu'avec une télécommande... mais, s'il le faut, vous pouvez regarder la télé en même temps, le principal étant que vous preniez régulièrement soins de vos pieds par un massage doux et parfumé.

Ça fait du bien

- La crème pour les mains de la page 79 convient aussi très bien à la peau et aux ongles des pieds.
- Pour un massage des pieds : prenez une huile corporelle de votre choix et frictionnez-vous soigneusement l'ensemble du pied. Massez la plante avec les deux pouces en vous en remettant à votre feeling, puis massez entre les orteils et ensuite chaque orteil séparément en commençant par le petit. Pour finir, effleurez le pied plusieurs fois en direction des orteils.

Massage des pieds tout simple

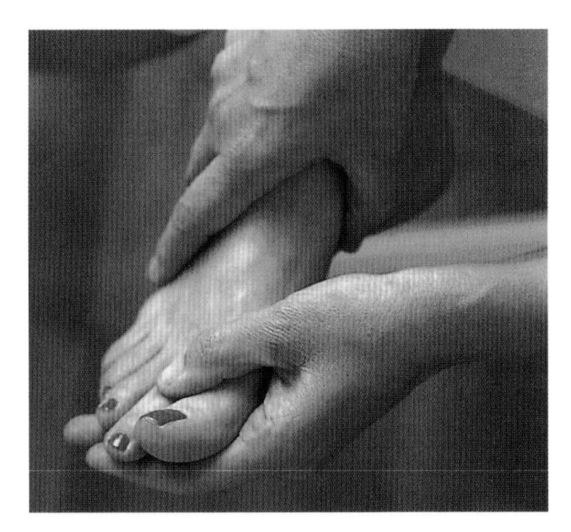

Voilà en résumé un massage aromathérapeutique du pied. Pour en savoir davantage, il existe plusieurs ouvrages spécialement consacrés à ce sujet.

Se masser les pieds avec des huiles essentielles est un véritable plaisir

- Faire régulièrement un bain de pieds aide à lutter contre la transpiration et les mauvaises odeurs : Mélangez 5 gouttes de cyprès et 3 gouttes de lavande à une c. à soupe de miel ou de crème et versez le tout dans 4 litres d'eau chaude. Baignez-vous ainsi les pieds durant 5 à 10 minutes une ou deux fois par jour. Séchez-vous ensuite soigneusement et enfilez des chaussettes chaudes.

Important : privilégiez toujours les chaussettes en fibres naturelles et évitez de porter des chaussures de sport trop longtemps, car elles empêchent les pieds de respirer.

Une peau soyeuse et veloutée

... de la tête aux pieds

Des huiles corporelles pour prendre soin de soi en douceur

Offrez-vous le luxe de vous enduire régulièrement le corps d'huiles parfumées au sortir du bain ou de la douche !
Cela vous embellira la peau et vous procurera une exceptionnelle sensation de bien-être, tant au plan physique qu'au plan psychique.

- Toutes les huiles corporelles évoquées dans cet ouvrage peuvent servir aux soins cutanés.
- Les parfums à porter (page 86) fournissent aussi d'excellentes huiles pour le corps : mélangez 1/2 c. à café de parfum à 50 ml de support huileux.
- Voici encore quelques complexes d'huiles essentielles pour femme et pour homme. Peut-être ces recettes vous inciteront-elles à créer vos propres huiles corporelles personnalisées. Pour savoir comment créer un parfum, voyez page 87.

Mélanges parfumés pour elle et lui

La vie en rose
Chaleureux, fleuri, sensuel :
50 ml de support huileux
5 gouttes de santal
5 gouttes de bois de rose
3 gouttes de rose centfeuilles

Fleur d'Oranger
Frais, fruité, ensoleillé :
50 ml de support huileux
3 gouttes de néroli
1 goutte de limette
1 goutte d'orange

Éros
Balsamique et sensuel, pour homme :
50 ml de support huileux
1 goutte de bois de rose
1 goutte de vétiver
1 goutte de coriandre
7 gouttes de petitgrain

Toscane
Fraîcheur épicée, pour homme :
50 ml de support huileux
2 gouttes de cyprès
2 gouttes de genièvre
1 goutte de gingembre
2 gouttes de lavandes
7 gouttes de pamplemousse

Flower Power
Complexe précieux, très fleuri, convenant aussi bien aux hommes qu'aux femmes et particulièrement bienfaisant pour le psychisme :
50 ml de support huileux
2 gouttes de cyprès (structure et augmente la force intérieure) ou
2 gouttes de cèdre (relève l'humeur et rend aimable)
4 gouttes d'ylang-ylang
1 goutte de jasmin
2 gouttes de rose centfeuilles
2 gouttes néroli
4 gouttes de petitgrain

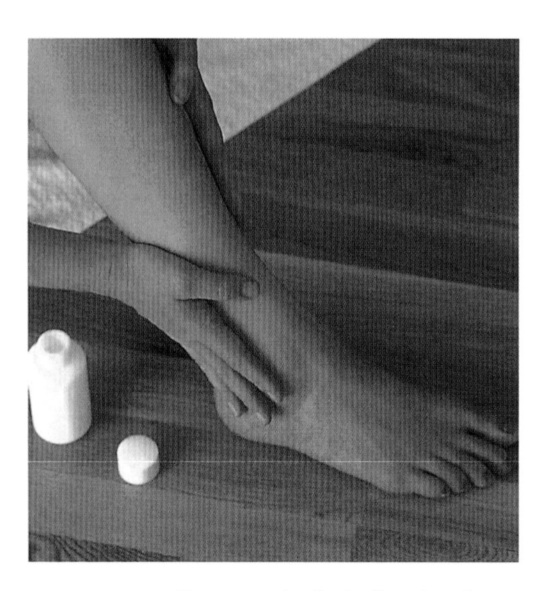

Massez-vous les jambes chaque jour avec une huile corporelle afin de stimuler votre métabolisme

Pour avoir de belles jambes

De nombreuses femmes mènent de longue date un combat acharné contre la « peau d'orange » et dépensent beaucoup d'argent en crèmes anticellulite. Pourtant, des études indépendantes ont montré que même les plus onéreux de ces produits n'ont d'efficacité qu'associés à d'autres mesures. Il faut donc en plus faire beaucoup d'exercice, boire beaucoup (entre 2 et 3 litres d'eau par jour), avoir une alimentation riche en vitamine et en sels minéraux, se masser quotidiennement avec une brosse et prendre des douches écossaises. À titre complémentaire, le complexe suivant stimule le métabolisme, la circulation et l'élimination des déchets organiques.

Huiles anticellulite...

100 ml d'huile de jojoba ou de noix de macadamia
10 gouttes de pamplemousse
5 gouttes de cyprès
5 gouttes de romarin
2 gouttes de gingembre
En cas de télangiectasies étendues, utilisez plutôt le complexe suivant, qui prévient aussi les varices :

... et anti-varices

100 ml d'huile de jojoba ou de noix de macadamia
10 gouttes de pamplemousse
5 gouttes de cyprès
5 gouttes de genièvre
5 gouttes de lavande

▶ Massez-vous les jambes avec l'une de ces deux huiles sur une période prolongée matin et soir.

Attention : l'huile essentielle de pamplemousse peut augmenter la sensibilité de la peau à la lumière (voir page 27)

Lavé à grande eau

Les joies du bain

Rien de tel qu'un bon bain chaud pour se détendre ou qu'une douche au saut du lit pour se réveiller. Si à cela s'ajoute le plaisir olfactif, le bonheur est alors total.

▶ Pour le bain : vous pouvez verser dans l'eau quelques gouttes d'une huile essentielle quelconque

Bain parfumé

– parmi la rose, le néroli, le santal et la lavande qui sont particulièrement relaxantes.
Cependant les complexes exhalent un parfum encore plus subtil et agréable : prenez par exemple les huiles essentielles de l'une ou l'autre recette pour huiles corporelles en conservant le même dosage. Notez qu'il faut toujours mélanger les huiles à un peu de miel, de lait entier ou de crème avant de les mettre dans l'eau (page 33).

▶ Pour la douche : il vous suffit de vous procurer du savon liquide neutre (vendu dans les magasins bio) et de le parfumer avec les huiles de votre choix.

Toilette intime

Attention aux sprays et aux lotions

Les sprays et lotions habituellement utilisés pour la toilette intime font plus de mal que de bien : à la longue, ils risquent d'abîmer la muqueuse vaginale et de favoriser le développement des champignons et des trichomonas. Durant la période d'ovulation, lorsque l'on prend la pilule et pendant la grossesse, le risque d'infection est particulièrement grand. Se laver régulièrement avec un hydrolat (page 39) permet d'assainir la muqueuse et de renforcer le système immunitaire sans aucun effet secondaire. Les eaux florales conviennent aussi aux femmes enceintes. En cas de sécheresse vaginale, durant la ménopause, ces ablutions sont également très utiles (page 64).

Hydrolats : doux mais très efficaces

Ablutions

▶ Versez environ 1 c. à soupe d'hydrolat de lavande, de tea-tree ou de rose sur un gant de toilette ou un linge. Lavez-vous ainsi tous les soirs.

Sauna parfumé

L'utilisation d'huiles essentielles renforce l'action désintoxiquante et relaxante du sauna :

Renforcer l'action du sauna

Vent de fraîcheur
Pour mieux respirer –
Complexe de base (page 30) :
5 gouttes de menthe poivrée
5 gouttes de sapin de Douglas (ou autre conifère)
5 gouttes de cèdre
5 gouttes de cajeput
5 gouttes de citron

Bien-être à l'état pur
Un parfum insolite et sensuel, à utiliser plutôt chez soi ou entre amis que dans un sauna public –
Complexe de base (page 30) :
6 gouttes de bois de rose
5 gouttes de géranium rosat
2 gouttes d'ylang-ylang

Se sentir bien, se relaxer et se désintoxiquer grâce à un sauna parfumé

2 gouttes de gingembre
8 gouttes de lemongrass

▶ Versez-les huiles dans un flacon de 5 ml. Pour vous constituer des réserves, il vous suffit de multiplier le nombre de gouttes par 3 ou 4. Elles tiendront dans le flacon.
Versez trois gouttes du complexe de base dans la louche. Lors des séances suivantes, vous pourrez augmenter le nombre de gouttes à 4, puis à 5.

Soins capillaires

Des cheveux sains, vigoureux et parfumés : en vous lavant la tête avec des shampooings aux huiles essentielles vous apaiserez et fortifierez votre cuir chevelu tout en prenant soins de vos cheveux de manière naturelle.

Shampooings parfumés faits maison

▶ Prenez comme support un shampooing non parfumé (vendu dans les magasins bio et en pharmacie), versez-y les huiles essentielles de votre choix, mélangez et laissez reposer pendant 2 semaines. Vous pourrez ensuite utiliser votre shampooing aussi souvent que vous le souhaitez, voire tous les jours si besoin est.

Soins antipelliculaires

Apaisant et relaxant, ce shampooing convient particulièrement aux cheveux abîmés ou gras et peut en outre réduire la chute lorsque celle-ci est due à une tension excessive du cuir chevelu :

Chute des cheveux

100 ml de shampooing neutre
7 gouttes de cèdre
3 gouttes de sauge sclarée
5 gouttes de lavande

Tonus et vigueur

Renforce les cheveux fins, active et fortifie le cuir chevelu :
10 gouttes de citron
5 gouttes de romarin
2 gouttes de cyprès

Fragrant care

Adapté à tous les types de cheveux, stimule l'irrigation du cuir chevelu et sent particulièrement bon :

100 ml de shampooing neutre
5 gouttes de santal
3 gouttes de coriandre
3 gouttes d'ylang-ylang
4 gouttes de pamplemousse

Hygiène bucco-dentaire

Les bains de bouche aux hydrolats (page 39) sont très utiles en cas de problèmes dentaires et d'affections de la muqueuse buccale. Associés aux huiles essentielles, ils préviennent les caries, la parodontose et la formation du tartre, soulagent et guérissent les gingivites, font cesser les saignements gingivaux, soignent les aphtes et aident à lutter contre la mauvaise haleine. En outre, la pratique régulière des bains de bouche permet de prévenir les refroidissements.

Important : les bains de bouche ne dispensent pas de se brosser les dents trois fois par jour !

Bains de bouche thérapeutiques

Utile contre de nombreux troubles

Complexe très rafraîchissant :

100 ml d'hydrolat de menthe poivrée
5 gouttes de menthe poivrée
5 gouttes de tea-tree
5 gouttes de lavande
5 gouttes de citron
1 goutte de thym

Ou, si vous n'aimez pas la menthe :

100 ml d'hydrolat de tea-tree ou de sauge
5 gouttes de tea-tree
5 gouttes de cajeput
7 gouttes de lemongrass
5 gouttes de palmarosa

▶ Après vous être brossé les dents, versez l'équivalent de 1/2 c. à café de bain de bouche dans un verre d'eau tiède et rincez-vous la bouche pendant une ou 2 minutes, puis recrachez ; procéder ainsi 3 fois par jour.

Aide d'urgence

En cas de saignements gingivaux, d'aphtes et de maux de dents :

▶ tamponnez la partie concernée avec de l'huile essentielle de tea-tree au moyen d'un coton-tige ou avec un doigt bien propre. Il se peut que cela brûle un peu.

Tea-tree non dilué

Des parfums de rêve

Les parfums qui rendent amoureux

Chercher à plaire et à séduire en se parfumant correspond à une tradition très ancienne. Il y a 2000 ans, Cléopâtre était déjà experte dans cet art. Sous nos latitudes, le boom des parfums n'a eu lieu qu'au XVIIe siècle, mais il dure jusqu'à ce jour.

À l'heure actuelle, les parfumeurs utilisent essentiellement des substances synthétiques (page 15). Si vous souhaitez quelque chose de plus personnel et de plus écologique, rien ne vous empêche de recourir aux huiles essentielles véritables pour créer un parfum unique dont les constituants auront de surcroît une action bénéfique sur votre corps et votre esprit.

Des parfums naturels pour tous les goûts

Les parfums naturels présentent en outre l'avantage de rester toujours discrets. Pour les percevoir, il faut se trouver tout près. Ils peuvent être envoûtants, frais, sensuels, fleuris ou âpres. À vous de choisir ce qui vous va le mieux ou ce qui vous semble le plus adapté à telle ou telle situation.

Véritable parfum de fleur

Compositions sophistiquées…

Un parfum réussi est un véritable petit chef-d'œuvre car sa préparation nécessite une grande sensibilité et beaucoup de savoir-faire.

Toutefois, lorsque nous respirons le parfum de certaines fleurs, celui-ci nous semble si parfait que les mélanges sophistiqués peuvent paraître tout d'un coup totalement superflus. De fait plusieurs parfums de fleurs sont tellement subtils qu'ils peuvent être utilisés seuls pour se parfumer : c'est par exemple le cas de la rose, du néroli, de l'iris, du jasmin, de la tubéreuse ou du mimosa.

… ou juste une fleur

▶ Versez 3 gouttes de votre essence préférée dans 10 ml d'huile de jojoba et vous voilà déjà en possession d'un délicieux parfum fleuri.

Les parfums non composés sont toutefois tributaires de l'humeur du moment. On n'a, par exemple, pas toujours envie de sentir l'odeur très concrète du jasmin ou de la tubéreuse. Les complexes sont en revanche beaucoup plus polyvalents et harmonieux et fascinent davantage. Aussi confèrent-ils

Des parfums composés qui fascinent

à ceux ou celles qui les portent un attrait particulier.

L'art de la composition

Triple accord harmonieux

De même qu'en musique le triple accord est considéré comme l'accord le plus parfait, en parfumerie l'équilibre s'obtient par l'association de trois « notes » : la note de tête, la note de cœur et la note de fond.

Note de tête : agrumes et conifères

● La note de tête est celle que l'on perçoit en premier ; elle peut se comparer, en musique, à un ton haut, qui occupe l'avant-plan.
Les essences d'agrumes sont des notes de tête par excellence. Ce sont elles qui confèrent au parfum son dynamisme et sa fraîcheur pétillante.
Les conifères fournissent, quant à eux, une note de tête résineuse et verte, très proche d'une note de cœur.

Note de cœur : les essences de fleurs

● Le véritable caractère d'un parfum dépend essentiellement de sa note de cœur. C'est en effet cette senteur douce et fleurie, tenant le milieu entre la note de tête et la note de fond, qui lui donne toute sa rondeur. Les essences de fleurs fournissent toujours d'excellentes notes de cœur. Pour ma part, j'en utilise une dans chacun de mes parfums et dans la plupart de mes autres complexes, car non seulement elles en assurent l'harmonie, mais elles produisent également sur le corps et l'esprit un effet équilibrant et bienfaisant.

Note de fond : huiles extraites d'écorces, de racine et de résines

● C'est la note de fond qui constitue le fondement d'un parfum et en assure la stabilité (rôle fixateur). C'est elle que l'on perçoit le plus longtemps, comme un ton bas en musique. On peut encore la sentir pendant quelques jours sur les vêtements qui n'ont pas été lavés.
Les huiles essentielles de bois, comme le bois de rose ou le cèdre, d'écorce, comme la cannelle, de racines, comme le vétiver, et de résine, comme le benjoin de Siam,

présentent un parfum caractéristique, à la fois boisé et balsamique.

Le véritable sel

Note épicée : huiles essentielles d'herbes et d'aromates

Le secret de la plupart des parfums réside dans leurs tons secondaires apportés par les épices et les aromates, qui produisent souvent un effet stimulant, voire envoûtant, et cela ne peut pas faire de mal… C'est elles qui donnent à beaucoup de parfums ce petit côté exotique et mystérieux que nous aimons tant. Nous pouvons nous passer d'une note fraîche, mais sans la note érotisante apportée par les épices n'importe quel parfum nous paraîtrait insipide.
Les huiles essentielles d'épices, telles que coriandre, gingembre, tonka ou cumin officinal, apportent aux parfums ce je-ne-sais-quoi qui nous fait immédiatement penser aux mille et une nuits.

Les huiles essentielles d'herbes aromatiques, telles qu'estragon ou basilic, fournissent, quant à elles, une note masculine et âpre.

Les constituants

… sont vendus dans les magasins bio et les pharmacies :

Ce dont vous avez besoin

Pour un parfum
1 flacon en verre teinté de 10 ml
1 flacon à bille de 10 ml
10 ml d'huile de jojoba (se conserve très longtemps)
Quelques gouttes d'huile essentielle

Pour un après-rasage ou une eau de toilette
1 flacon en verre teinté de 100 ml
30 ml d'alcool à 90° (pour les peaux sensibles, réduire à 10 ml)
70 ml d'eau ou d'hydrolat (ou 90 ml, en fonction de la quantité d'alcool utilisée)
Quelques gouttes d'huile essentielle

Mélanger, c'est facile

▶ Pour un parfum, commencez par verser l'huile de jojoba dans le flacon, puis ajoutez-y les huiles essentielles ; pour un après-rasage ou une eau de toilette, versez les huiles essentielles dans l'alcool, agitez et finissez de remplir le flacon avec de l'eau ou de l'hydrolat.

Un parfum que l'on a créé soi-même mérite un beau flacon

1 Si vous voulez composer votre propre parfum, commencez de préférence avec le minimum de constituants : versez tout d'abord une goutte de note de fond, puis une goutte de note de cœur et éventuellement une goutte de note épicée ; pour la note de tête, vous pouvez être un peu plus généreux.

Dosez avec parcimonie

2 Mélangez le tout et testez sur votre peau. Ce faisant, songez au fait que le parfum va mûrir pendant encore quelques semaines : les différentes senteurs vont se lier, la note de tête cessera de dominer, les tons chaleureux et fleuris seront davantage perceptibles : l'ensemble s'équilibrera et s'arrondira.

3 Si vous voulez corriger votre parfum : commencez par la note de cœur, augmentez en conséquence la note de tête, puis renforcez éventuellement la note de fond, dont il faut savoir qu'elle paraîtra plus intense à l'issue de la période de maturation !

4 Notez sur les flacons le nom du parfum, sa composition et la date.

5 Laissez mûrir vos parfums, eaux de toilettes et après-rasage durant 4 semaines.

Le parfum peut ensuite être transvasé dans un flacon à bille afin d'en faciliter l'utilisation.

Conservation

Info : entreposés au frais et à l'abri de la lumière, parfums et eaux de toilette peuvent se conserver pendant plusieurs années.

Parfums à la carte

Les parfums du commerce contiennent souvent plus d'une centaine de constituants, mais rien ne nous oblige à en faire autant. En fait, trois à cinq senteurs suffisent pour créer un petit chef-d'œuvre. Je vous propose ici quelques exemples de parfums ronds en dépit du petit nombre de leurs constituants (page 87). Peut-être vous inciteront-ils à créer bientôt vos propres parfums ? !

Incitation à la création

▶ Mes recettes pour brûle-parfum peuvent également servir pour les parfums à porter. Il suffit pour cela de mélanger les huiles essentielles à 10 ml d'huile de jojoba.

Votre gamme personnelle

▶ Si vous avez envie d'une gamme de soins complète avec un même parfum, versez les huiles essentielles de l'une des recettes suivantes dans 100 ml d'huile de jojoba ou de noix de macadamia pour obtenir une huile corporelle et dans 100 ml de savon liquide neutre pour un gel douche.

Parfums de femme

Pétale de rose
Très chaleureux et fleuri :
10 ml d'huile de jojoba
3 gouttes de santal
5 gouttes de bois de rose
1 goutte de rose de Damas
2 gouttes de rose centfeuilles
3 gouttes de néroli

Sunshine reggae
Fraîcheur et dynamisme :
10 ml d'huile de jojoba
1 goutte de vétiver
3 gouttes de palmarosa
4 gouttes de néroli
6 gouttes de petitgrain
3 gouttes de bergamote
2 gouttes de mandarine

Sulamite
Parfum voluptueux, balsamique et sucré :
10 ml d'huile de jojoba
8 gouttes de santal
4 gouttes de benjoin de Siam
2 gouttes de rose
2 gouttes de jasmin
4 gouttes de mandarine

Choisissez le parfum que vous préférez

Les mille et unes nuits
Sensuel et exotique :
10 ml d'huile de jojoba
1 goutte de tonka
2 gouttes de cannelle
1 goutte de cumin officinal
2 gouttes de coriandre
3 gouttes de poivre noir
1 goutte de gingembre
3 gouttes d'ylang-ylang
5 gouttes de pamplemousse (ou autre agrume pour obtenir des variantes intéressantes)

Parfums d'homme

« Embrace »
Après-rasage pour les cœurs tendres et câlins :

30 ml d'alcool à 90°
70 ml d'hydrolat d'hamamélis
1 goutte de benjoin de Siam
3 gouttes de bois de rose
5 gouttes de santal
1 goutte d'ylang-ylang
7 gouttes de limette

Amazonas

Pour tous les goûts...

Après rasage pour les hommes, les vrais :
30 ml d'alcool à 90°
70 ml d'hydrolat d'hamamélis (de cyprès ou de romarin)
1 goutte de vétiver
1 goutte de cyprès
5 gouttes de palmarosa
1 goutte de sauge sclarée
1 goutte de sapin de Douglas
3 gouttes de néroli
7 gouttes de lemongrass

Attraction

Sensuel, voluptueux, pour faire battre le cœur des femmes...
30 ml d'alcool à 90°
70 ml d'hydrolat d'hamamélis
1 goutte de benjoin de Siam
7 gouttes de santal
3 gouttes de romarin
1 goutte de rose centfeuilles
5 gouttes de limette
5 gouttes de pamplemousse

Parfums pour les enfants

Si votre enfant a envie d'avoir son parfum à lui, laissez-le faire lui-même son mélange.

Son premier parfum

Je suis pour ma part toujours impressionnée de l'enthousiasme et du feeling dont font preuve les enfants lorsqu'il s'agit de créer des senteurs. Ne commencez toutefois pas trop tôt, car jusqu'à 6 ans, les petits ont une odeur naturelle particulière qu'il serait dommage de masquer. Même après, il est préférable que les parfums restent associés à des circonstances précises afin d'éviter la banalisation.

Danse des elfes

Chaleureux, sucré, pour les cœurs tendres :
100 ml d'huile de jojoba
1 goutte de santal
2 pipettes de mimosa
1 goutte de néroli

Abeille sauvage

Balsamique et fleuri, harmonisant :
10 ml d'huile de jojoba
1 goutte de benjoin de Siam
3 gouttes de bois de rose
1 goutte de rose centfeuilles
3 gouttes de litsée

Bibliographie

Chez le même éditeur

Aromathérapie, Dr Jean Valnet
Recettes naturelles pour une peau parfaite, Pierre-Jean Cousin

Dans la même collection

R. Collier, *Renaître grâce à une cure intestinale*
B. Frohn, *Anti-âge*
M. Grillparzer, *Brûleurs de graisse*
E-M. Kraske, *Équilibre acide-base*
B. Küllenberg, *Les Bienfaits du vinaigre de cidre*
D. Langen, *Le Training autogène*
M. Lesch, G. Forder, *Kinésiologie : réduire le stress et renforcer son énergie*
E. Pospisil, *Le Régime méditerranéen*
G. Sator, *Feng Shui. Habitat et harmonie*
S. Schmidt, *Fleurs de Bach et harmonie intérieure*
K. Schutt, *Massages*
B. Sesterhenn, *Purifier son organisme*
H-M Stellmann, *Médecine naturelle et maladies infantiles*
W. Stumpf, *Homéopathie pour les enfants*
C. Voormann et G. Dandekar, *Massage pour bébé*
F. Wagner, *L'Acupression digitale*
F. Wagner, *Le Massage des zones réflexes*

Adresses utiles

Vous trouverez plusieurs gammes d'huiles essentielles de première qualité dans les magasins bio, les magasins de produit diététiques et en pharmacie.

FORUM ESSENZIA e. V.
(Association d'utilité publique pour la promotion, la protection et la diffusion de l'aromathérapie, des soins par les arômes et de la culture des arômes)
Meier-Helmbrechtstr. 4 – 81377 München – Allemagne
Téléphone : (0049) 89-7145391
Fax : (0049) 89-71039929
E-mail : forum-essenzia@t-online.de

Index

Crédits photographiques :
Toutes les photos sont de Reiner Schmitz (styling Jeannette Heerwagen) à l'exception de :
Georg Wunsch p. 6-7 ; Bavaria Benelux Press p. 10 ; Primavera Life p. 12, 45 ; Beiersdorf AG/Nivea p. 16, 33 ; Tony Stone/Peter Correz p. 18, 62 ; Christophe Schneider p. 22-23, 77, 79 ; Jalag/Willi Klingebiel p. 31 ; Studio Hasselmann p. 35 (2), 36 ; Fotostudio Teubner p. 40, 41, 42, 43 et 4e de couverture, 44, 46, 47 ; Tony Stone/Chris Harvey p. 48-49 ; Tony Stone/James Darrell p. 58 ; Bavaria/TCL p. 70 et 4e de couverture; Bavaria/Stock Image p. 72 ; Tony Stone/Linda Burgess p. 87.

Photographie de couverture (plat 1) : © Von Tuempling/Camerapress/ Oredia

Traduction française par Manuel Boghossian

Couverture : modzilla!

Dépôt légal : juillet 2007 - ISBN 978 2 7114 1916 6
Imprimé en Chine par Media Landmark Investments Ltd, Hong-Kong